BRIGITTE MINNE

Ik dacht dat het ergste nog moest komen

(maar dat was niet zo)

DE EENHOORN

CIP-gegevens: Koninklijke Bibliotheek Albert I
© Tekst: Brigitte Minne
Druk: Oranje, Sint-Baafs-Vijve
Omslagontwerp: quod. voor de vorm

© 2009 Uitgeverij De Eenhoorn bvba, Vlasstraat 17, B-8710 Wielsbeke

D/2009/6048/51
NUR 284
ISBN 978-90-5838-581-9

www.eenhoorn.be

Mijn fiets hobbelt over de kasseien en mijn boekentas zwiert aan het stuur met daarin een boek dat popelt om te worden gelezen. De populieren in de laan ratelen en mijn rok wappert als een vaandel terwijl ik mijn hoofd heen en weer buig alsof het met touwtjes aan mijn knieën vastzit. Mijn haren waaien als feestlinten om mijn hoofd. In mijn mond hangt de smaak van thee en koekjes.

De terreur op school, het jarenlange getreiter van Veronique en haar kompanen, het Katelijne-verhaal, voor crapuul worden versleten...

Enkele flarden van mijn kindertijd zijn scherven met vlijmscherpe kanten, maar het is of ze een bloem in een caleidoscoop hebben gevormd.

Het allermooiste is mij overkomen...

Mona, Pokkie
en een Hollands Kaatje

Mensen denken soms dat ze nog wat weten van hun babytijd, maar het zijn meestal foto's die ze ooit te zien kregen die zogezegde herinneringen losweken.

Bij mij zijn er bijna geen foto's. Een paar van toen ik net geboren was. Mijn moeder in een ziekenhuisbed en mijn vader ernaast: spichtig, met een Elvis-kuif en acnéwangen. Mijn moeder houdt me in de armen en mijn ouders kijken alsof ze zelf niet kunnen geloven dat ze mij hebben gemaakt, maar dat hebben ze wel. In een berm naast een dichtgevroren gracht, hartje winter, januari 1962. Zij zestien en hij zeventien.

Ik denk niet dat veel mensen weten waar ze zijn verwekt, maar ik heb het mijn moeder vele malen horen vertellen, meestal na een paar witte martini's.

Ik weet waar mijn wieg stond: bij het raam in de kleine woonkamer van mijn grootouders. Ik kon mijn grootvaders duiven zien vliegen en het bovenste stuk van de achterdeur open en dicht zien zwaaien.

Ook de komst van Pokkie herinner ik me glashelder. We hadden het hondje van Mona gekregen, een zigeunerin die haar woonwagen voor een kroeg had geruild waar we elke zaterdag kwamen. De avond dat mijn grootvader de zwarte bastaardpup naast me in de kinderwagen legde, was ik zes maanden. Mijn babyhandjes grepen in het rond en betastten de zachte vacht en puntige oortjes van de pup en trokken aan de witte veren van mijn sprei.

Mijn moeder werkte van maandag tot vrijdag in een haringrokerij en mijn vader bracht met een bakfiets koteletten en worsten aan huis voor een slager. Op vrijdagavond schrobde mijn moeder de haringgeur van haar lijf, mijn vader smeerde brillantine in zijn haar en ze gingen rock-'n-roll dansen om de rookvis en het vlees in pakjes met een elastiekje eromheen te vergeten.

Ze kwamen heel vaak langs om mij te zien en te knuffelen. Dan lakte mijn moeder mijn babynagels en bond een lint om mijn kale hoofd. Mijn vader kriebelde mijn tenen en nam me in zijn armen en zong *Marina, Marina, Marina* van Rocco Granata, het liedje waarnaar ik was genoemd.

Ze speelden koekoek en kiekeboe met me en ik kon nog maar amper op mijn benen staan toen mijn moeder me met de hoelahoep leerde dansen. Ik was hun speelpop en vond dat geweldig.

Naast mezelf was er geen speelgoed bij mijn grootouders, maar er waren het konijnenhok, de kippenren, mijn aftandse

driewieler met piepende wielen, de schommel in de kersenboom en Pokkie die mijn arm in haar muil nam om te wande-
len van het hek naar de aalbessenstruiken en terug.

Soms gaf mijn grootmoeder me een kopje waarvan een oor
was afgebroken met zeepsop erin en een lus die ze van ijzerdraad had gevouwen. Daarmee kon ik bellen blazen.

In de zomer groef mijn grootvader een put tot hij bij een za-
vellaag kwam en dan schepte hij een paar emmers geel zand
voor me. Met een leeg blikje van sardines of cornedbeef bakte
ik zandtaarten.

Bij slecht weer kreeg ik de knopendoos. Ik kon de knopen
soort bij soort leggen of van groot naar klein of per kleur. Sta-
peltjes van vier maken of van zes. Maar de knopen waren ook
de groenten en het fruit van mijn winkel of de dieren van een
boerderij en dan was ik boerin. Soms waren het mijn kinderen. Dan ging ik net als mijn moeder werken en op vrijdag en
zaterdag dansen en dan woonden mijn kinderen bij hun
grootouders en ze vonden dat net als ik helemaal niet erg.

Mijn grootmoeder was een vrouw zonder tanden, ze trok één
been achter zich aan. Ze was tot haar elfde naar school geweest
maar elke dag las ze de krant en ik mocht op de witte rand te-
kenen. Als de krant was uitgelezen en de randen vol gekrie-
beld, werd de krant in reepjes gescheurd om aan een spijker in
de wc te hangen.

Als ik mijn ogen half dichtkneep, zag ik in de afbladderende verf van de muren van de wc een vliegtuig, een heks die met haar puistenkop uit een ketel piepte, een mannetje met een enorme hamer. De heks vroeg aan het mannetje of ze zijn hamer mocht gebruiken. Daarmee wilde ze heel hard op zijn kop slaan om daarna soep van hem te koken. Ik wilde weten wat de heks nog meer van plan was en bleef boven de stinkende put zitten tot mijn grootmoeder mij eraf joeg en zei dat de vliegen me zouden opvreten. In de winter riep ze dat mijn billen aan de plank zouden vastvriezen.

Toen al zat mijn hoofd vol verhalen.

Mijn ouders kochten te veel kleren voor zichzelf en te weinig voor mij, vond mijn grootmoeder.

Eén keer per maand trok ze naar de markt en hinkte naar de kraam van de *Hollanders*. Daar wapperden aan bezemstelen kleerhangers met jurkjes met witte pofmouwen afgeboord met lintjes met tulpen en gebrocheerd met goudkleurige muntjes. De Hollanders verkochten ook nylon onderbroeken in lichtblauw en roze met strikjes aan de achterkant. Als ik vooroverboog, zei Mona altijd: 'Mooi, mooi, mooi, die broekjes,' en dan straalde mijn grootmoeder.

Witte sokken en zwarte lakschoenen maakten het plaatje af.

Thuis mocht ik molletjeszwart rondlopen in kleren waar ik al lang was uitgegroeid.

Ik mocht met vieze voeten mijn bed in en ook voor school stak het niet nauw, maar voor de kroeg moest ik in- en inschoon zijn. Voor we gingen, zette mijn grootmoeder de fluitketel op het vuur die ze vulde bij het enige kraantje in huis. Dan moest ik op tafel gaan zitten en boende ze mijn knieën. Ze draaide een propje watten om een lucifer heen, maakte die nat in haar mond en wrong ze in mijn oor. Ze koterde altijd onverbiddelijk hard terwijl ze riep dat alle boter eruit moest.

Na de oren inspecteerde ze mijn handen.

'Je bent weer in de rouw, Marina.'

Met een stompe stopnaald peuterde ze de rouwranden onder mijn nagels uit en alle knopen en nesten werden uit mijn haar gekamd.

Wanneer ik glom als een vers biggetje en mijn Hollandse jurk aanhad, klapte mijn grootmoeder in haar handen. 'Kijk, ons Hollands Kaatje!'

Voor we vertrokken, wreef ze een beetje eau de cologne op mijn haar.

Toen ik te groot werd voor de kinderwagen reden we naar de kroeg met de knalrode brommer van mijn grootvader, met nepleren zadel en een plastic windvanger. Mijn grootvader aan het stuur, mijn grootmoeder achterop met haar armen om zijn buik heen geslagen en ik tussen hen in gepropt. Een plakje Hollandse kaas tussen twee ferme boterhammen.

Als ik moe was, sliep ik overal. Ook naast de jukebox met mijn hoofd op een stoel waar de muziek doorheen daverde. Soms dommelde ik tijdens het brommeren tegen de brede rug van mijn grootvader in. Dan droeg hij me de trap op en legde me zachtjes neer in het spijlenbed dat in een hoek van hun slaapkamer stond.

Het laken voelde altijd klam, want mijn bed stond in een hoek waar schimmel op de muur groeide. In de schimmelvlekken zag ik drie stoeltjes met twee poten en als ik mijn hoofd wat schuin hield, veranderden de stoelen in poezenkoppen met puntige oren.

De muizen hadden lak aan die katten. Met het getrippel van hun pootjes en het gepiep van mijn grootvaders borst viel ik elke avond in slaap.

De wereld draaide vooral rond mij en mijn grootvaders duiven die in koterijen en volières in de tuin zaten, op zolder en ook in de slaapkamer achter een gordijn.

Mijn grootvader was een fanatiek duivenmelker en hij keurde postduiven. Op vrijdagavond korfde hij de vogels in. Dan ging ik mee om in de garage van Mona gummi ringen die voor een prijsvlucht om hun poten moesten op de tang te steken of om krijtstreepjes te trekken op een lei zodat er niet te veel duiven in een mand gingen.

Mijn grootmoeder bleef op vrijdagavond altijd thuis om te strijken, kleren te verstellen en sokken te stoppen. Nu en dan wurmde ze een klontje suiker in een sinaasappel en zoog erop. Het was haar vaste avondtoetje.

De duivenmelkers en Mona trakteerden met limonade, chocolade en handjes pindanoten uit de automaat op de toog. Een Hollands Kaatje dat vliegensvlug ringen over de duiventang schoof en krijtstreepjes trok, verdiende dat. Mijn grootvader verdiende pinten. Mijn grootmoeder vroeg me altijd om ze te tellen, maar ik snapte al snel dat ik maar beter de tel kon kwijtraken.

Mijn veren spreitje heb ik nooit meer teruggezien. Mijn grootmoeder heeft het vast in één van haar vrijdagse vuren opgestookt. Huisvuil en alles wat ze niet meer wilde, verbrandde ze op vrijdag in de achtertuin.

Bij ieder vuur kwam de buurman bij de omheining mijn grootmoeder voor uitschot en crapuul uitschelden.

Als mijn grootmoeder zich opwond, zwol er een ader in haar hals. Dat blauwe slangetje zag ik elke vrijdag verschijnen, maar ze liet de beerkar van woorden over zich heen keilen terwijl ze met de riek ongestoord in het vuur koterde.

'Hij zal het op den duur wel opgeven,' zei mijn grootmoeder. Het tegendeel was waar. Dat zij niet reageerde, joeg de buurman nog meer op stang. Zijn taal werd almaar grover. De smerige duiven hadden zijn dakgoten volgescheten. Die schurftige hond had zijn kat ziek gemaakt. Onze rothaan zou in de soep belanden als hij zijn verdraaide bek niet hield om vier uur 's morgens. Zijn arme vrouw werd er zenuwziek van en de stank van de vuren werkte op haar luchtwegen. Wilden we zijn vrouw dood misschien?

Mijn grootvader was een drankorgel. Mijn grootmoeder een kreupele heks zonder tanden. Hij vroeg zich ook af wat er van dat crapuulkind zou worden terwijl hij naar me wees...
Toen gebeurde het. Mijn grootmoeder trok de riek uit de as en strompelde zo snel ze kon naar de omheining. Ze tilde de riek boven de haag en haalde uit naar de buurman. Die sprong geschrokken achteruit. De ijzeren tanden raakten hem net niet. Toen struikelde hij. Mijn grootmoeder boog zich over de haag, de ligustertakjes van de haag kraakten. Met één stoot kon ze hem doorboren.

'Nee, nee,' bedelde hij plompverloren. 'Alstublieft.'

Ik had mijn grootmoeder nog nooit zo uit haar doen gezien. Mijn hele lichaam daverde ervan.

'Niet doen,' gilde ik en ik trok aan de linten van haar schort alsof ik paardje met haar wilde spelen.

'De volgende keer duw ik de riek in je strot, lafbek!' Mijn grootmoeder trok de riek weer naar zich toe.

De buurman krabbelde overeind en vluchtte weg terwijl hij zijn handen aan zijn broek afveegde. Mijn grootmoeder pootte de riek naast zich neer in de aarde. Er kronkelde een pier naar boven. De kippen stoven ernaartoe.

'Die zal nu wel zijn tetter houden,' zei ze schril. Toen ging ze verder stoken.

Het was de laatste keer dat de buurman bij de haag kwam schelden. Hij had zijn lesje geleerd: als je mensen voor uitschot verslijt, gaan ze zich op den duur ook zo gedragen.

Nonnen, engelen, rijstpap
met gouden lepeltjes en wormen

Mijn grootmoeder ging enkele dagen per week schoonmaken
bij madame Lucienne. Als ik naar school ging, was dat geen
probleem, maar in de vakantie dus wel.

Madame Lucienne kende moeder-overste van de nonnen goed
en regelde dat ik naar het weeshuis kon gaan spelen, terwijl
mijn grootmoeder voor haar waste en plaste.

De nonnen hadden zwart-witte jurken aan en kappen met
vleugels aan hun oren. Ze deden me aan mijn grootvaders duiven denken. Grote boze duiven.

Toen ik de eerste keer in het klooster kwam, rook de gang naar
bruine zeep en bleekwater en ik durfde alleen naar de zwart-
geel geblokte tegelvloer te kijken en naar mijn sokken die uit
mijn sandalen staken. Een klein nonnetje sopte met soda een
lange tafel schoon.

Van een duif met een bril kreeg ik een blad papier en een sigarenkist met kleurpotloden en ik mocht aan een schoonge-
maakt hoekje van de tafel zitten.

Ik vroeg me af waar de nonnen die sigarenkist vandaan hadden. Rookten ze stiekem of luisden ze die kistjes af bij meneer
pastoor?

Op het kleurblad stond een kabouter en een paddenstoel met een deurtje. Ik had tot nu alleen maar op de rand van de krant getekend en ik raakte niet uitgekeken op die kabouter en de mooie kleurpotloden. Dat duurde voor de non met de bril iets te lang en ze pakte een kleurpotlood en kleurde een puntslof van de kabouter in.

'Zo moet het, Marina! Kies maar een kleurtje.'

Ik tuurde heel lang in de doos om de mooiste kleur te vinden en viste er voorzichtig een paars potlood uit voor de andere slof. Natuurlijk hoorde ik dat er nog andere kinderen aan de tafel kwamen zitten en dat er nog meer sigarenkisten met kleurpotloden werden neergezet en kabouters werden uitgedeeld, maar ik keek niet op want mijn kabouter had me betoverd. Ik vroeg me af wat hij die dag zoal zou doen: kaarten met andere kabouters? Of zou hij een plaatje draaien van de Zangeres Zonder Naam, net als Mona?

Na een uur van gekras op de vellen papier, zacht getik van de potloden en gerommel in de sigarenkisten, joeg de non met de bril ons naar een boomgaard met frisgroen gras en geurende meidoornhagen eromheen.

De ouderloze kinderen gaven elkaar de hand en slingerden vrolijk zingend tussen de fruitbomen. De non met de bril ging op een bank zitten breien en gluurde af en toe boven haar bril uit.

Er waren een paar zwartjes bij, zo noemden we kinderen van Afrika in die tijd, of negertjes, dat was nog geen lelijk woord.

Ik had nog nooit een Afrikaans kind gezien en stond bij de haag argwanend naar hen te kijken.

De non legde haar breiwerk neer en kwam naar me toe. Ze boog zich over me heen. Haar kap vormde een enorme schaduw alsof iemand een parasol boven mijn hoofd hield.

'Ze bijten niet,' fluisterde ze.

Daarvan was ik zo zeker nog niet. In de haag was een kale plek met een paar dode doorntakken en ik loerde erdoorheen naar het kleine nonnetje. Ze strooide handjes zout op slakken die naar de deur waren gekropen. Er waren grote naaktslakken bij en ik zag de beestjes krullen van ellende.

Als de wezen hongerig waren van het spelen en ik van het wortel schieten bij de haag en het bespieden van het nonnetje dat slakken doodde, moesten we naar binnen. De sigarenkisten en kabouters waren verdwenen. Op de lange tafel stonden borden met jamboterhammen en bekers melk. Maar eerst moesten we onze handen met Sunlight-zeep wassen. Ik vond een stoel ver van de zwartjes.

In de deuropening verscheen een paard van een vrouw. Haar pij leek wel zo'n rouwtent die ze aan de voordeur vastmaakten als er iemand doodging, en ze had een groot zilveren kruis om haar nek.

Iedereen veerde overeind. 'Dag moeder-overste!' klonk het.

De reuzin liet haar ogen over onze hoofden dwalen en gebaarde dat we weer mochten zitten.

De boterhammen roken lekker en ik nam er één in mijn handen en hapte gretig. Tijdens het kauwen, ontdekte ik dat de anderen het brood onaangeraakt lieten, hun voorhoofd aantikten, hun ogen sloten en 'wees gegroet' mummelden.

De ogen van moeder-overste bliksemden.

'Boterham weg en bidden!' snauwde ze.

Mijn hart begon wild te hameren en mijn ogen prikten. De boterham bibberde op tafel. De slakkenmoordenares stoof met wapperende jurk naar me toe en greep mijn trillende handen beet. Ze bouwde er een vingerhuis mee en gebaarde dat ik mijn mond snel moest leegeten.

Mijn kaken deden pijn van het vlugge kauwen en ik schrokte het brood naar binnen. In een tranenmist bewoog ik mijn mond, maar de woorden die de anderen aframmelden kende ik niet. De rest van de boterham wurmde ik moeizaam naar binnen want de boosheid van moeder-overste had mijn keelgat kleiner gemaakt.

Na het eten mocht iedereen naar buiten, maar ik moest blijven zitten. Moeder-overste en het kleine nonnetje kwamen naast me zitten. Mijn hart pompte nog steeds als bezeten, mijn knieën daverden en mijn vingers prikten alsof er zandkorreltjes inzaten.

Het kleine nonnetje paste op het kinderstoeltje, maar bij moeder-overste verdween het stoeltje helemaal onder haar weelderige achterwerk. Een gat waarop je met z'n vieren kon kaarten... Dat zei mijn grootvader ook van het gat van de visvrouw die bij Mona droogvis leverde.

Moeder-overste boog zich naar me toe en legde haar handen op tafel.

'Heb jij nog nooit gebeden?' Haar handen waren zo groot als de kolenschep waarmee mijn grootouders de kachel vulden. Ik schudde het hoofd.

Op één van haar bolle wangen groeide een bobbel die op een kleine bloemkool leek. De kabouter op het plaatje zou vast blij zijn met zo'n bloemkooltje als middagmaal. Eén van haar ogen zat los en tolde alle richtingen uit en ik durfde er bijna niet naar te kijken. Ze vouwde haar kolenscheppen samen tot een boksbal en zei tegen het kleine nonnetje: 'Je leert Marina bidden, zuster!'

Ik schrok dat ze zussen waren. Ze leken helemaal niet op elkaar. Maar ja, de dikke en de dunne waar mijn grootvader en ik altijd om lachten, waren ook broers – dat dacht ik tenminste omdat ze allebei eenzelfde pak en bolhoed droegen – en dat zou je van hen ook niet gezegd hebben.

Moeder-overste duwde zich overeind en schoof wiegend de zaal uit. De refter werd opeens een stuk groter.

Het kleine nonnetje had naast het soppen van tafels en smeren van boterhammen een nieuwe missie!

'In de naam van de Vader en de Zoon en de Heilige Geest,' zei ze geduldig voor en ondertussen tikte ze het streepje voorhoofd onder haar kap aan, haar borst en schouders.

De woorden kon ik feilloos nazeggen, maar bij het kruisteken ging het mis want ik raakte altijd eerst mijn linkerschouder in plaats van mijn rechter en tussen al dat bidden moest ik aldoor naar de wc rennen, want de schrik had zich op mijn darmen gezet. Uiteindelijk bond het nonnetje een stukje blauwe brei-wol om mijn rechterpols en toen lukte het kruisteken wel en mocht ik naar buiten om te spelen.

De wezen zaten in een grote zandbak met kleurige metalen scheppen en ijzeren emmers met kindjes erop die ook in het zand speelden. Naast de zandbak stond een enorme kist. De non met de bril gebaarde dat ik ook iets uit de kist mocht kiezen. Er lag alleen nog een emmer met een barst in en een schepje zonder steel.

Toen we naar huis liepen, legde mijn grootmoeder uit dat de dikke non en het kleine nonnetje niet echt zussen waren.

Ik bleef als de dood voor moeder-overste en bad luidkeels 'vol van genade' als ze mijn richting uit keek of als ik dacht dat ze dat deed met dat oog dat alle kanten op ging.

Het kleine nonnetje was vol van vreugde met het gewonnen zieltje en straalde toen ik vroom mijn kruisteken maakte.

Mijn grootmoeder sneed met een schaar reepjes spek boven mijn bord toen ik een kruisteken maakte en een weesgegroet afdreunde.

'Wat doe jij nu, Marina?' vroeg mijn grootvader met over-slaande stem.

'Bidden,' antwoordde ik. 'Anders kom ik niet in de hemel. Daar vliegen engelen en daar eten ze rijstpap met gouden lepeltjes.'

De vuist van mijn grootvader kwam met een dreun op tafel neer en de vorken en lepels klingelden.

'Godverdomme miljaarde nondedju.'

Ik wed dat de engelen in de hemel van schrik hun gouden lepeltjes lieten vallen. De vloek was het startschot en mijn grootvader trok van leer tegen mijn grootmoeder.

'Je verdient het zout op je patatten niet met je botten af te draaien voor die madame Lucienne van je en dat kind moet daarvoor een hele dag naar de nonnen... En nu gaan die trutten met hun zwarte kappen nog een non van ons Marina maken! Alsof je alleen maar deugt als je met een paternoster in je broekzak loopt, verdomme! Platte *commerce* is het met hun stoeltjesgeld, offerblokken... Godverdegodver...' Er vonkte vuur uit zijn stem. Hij greep de steel van de pan beet, goot vet over zijn aardappelen tot zijn bord bijna overliep en begon nijdig te prakken. Op het bloemetjeszeil spatte saus, het vet droop van zijn kin en tussen elke hap blies hij door zijn neus.

'Of Marina gaat met jou mee of madame Lucienne kan haar smeerlapperij zelf opkuisen.'

Zijn aardappelen waren al lang moes, maar zijn vork bleef maar pletten. Als hij zo doorging, kon hij zijn aardappelen in een glas gieten.

'Marina, kind, vergeet de hemel met die verrekte engelen. Doodgaan is het licht uit. Je ziet niets meer, je hoort niets meer. Voor altijd en altijd. Jij krijgt geen rijstpap. Integendeel, jij bent voer. De wormen komen *jou* opvreten.'

'Proper om dat aan een klein kind te vertellen,' beet mijn grootmoeder. 'Straks doet ze geen oog dicht.'

Mijn grootouders hadden bijna nooit ruzie, maar toen hing er onweer in de lucht. Ik kreeg er een dikke keel van.

'Ze mag de waarheid weten,' zei mijn grootvader fel.

Naast de sausvlekken vielen vlokjes aardappel en mijn grootvader mompelde er nog iets achteraan, maar dat verstonden we niet, omdat hij een nieuwe lading aardappelen in zijn mond had geduwd.

Er drupten tranen op mijn aardappelen. Mijn grootmoeder viste een zakdoek uit haar schort en legde die naast mijn bord. Ik droogde mijn wangen en snoot mijn neus.

Mijn tranen blusten meteen het vuur dat in mijn grootvaders stem woedde.

'Niet huilen, Marinaatje,' zei hij zacht.

'Nee,' zei mijn grootmoeder. 'Spaar je traantjes maar voor later.'

Tiny

Ik hoefde niet meer naar de nonnen en moest de hele dag op een stoel aan de keukentafel van madame Lucienne zitten terwijl mijn grootmoeder door het huis hompelde en afstofte, lapte, boende, dweilde en koper poetste.

Madame Lucienne had een Tiny-boek voor me neergelegd want het was niet de bedoeling dat mijn grootmoeder haar werktijd aan mij zou besteden. Madame Lucienne was een kwezel en een *gierige treze*, wist ik van mijn grootvader.

Net als bij de kabouter van de nonnen ging er een wondere wereld voor me open. De letters waren geheime tekens, maar ik zat uren naar de prenten te kijken. Tiny voerde de boerderijdieren en melkte een koe. Haar ruitjeshemd en nopjessjaal zagen er smetteloos uit en de boerderij was prachtig. Op het erf groeide geen grassprietje te veel of te weinig en de madeliefjes staken op de juiste plaatsen hun kopjes omhoog.

Ik verzon dat het dak van de stal schots en scheef was en brandnetels en distels er welig tierden, dat Tiny haar hondje Poeffie uit de beerput moest redden en een konijn slachtte en haar smetteloos ruitenhemdje helemaal onder het bloed zat. Mijn grootmoeder snapte niet dat ik me de hele dag met dat boek had bezig gehouden.

'Was het echt zo mooi?'

'Te mooi,' antwoordde ik.

Haar mond die zonder tanden de grootte van een knoop was, was dat nu ook met tanden en ze schudde haar hoofd.

'Een hele dag braaf op een stoel. Je mag zaterdag een kaartje draaien bij Mona, Marinaatje.'

In de kauwgomautomaat op de toog van Mona's kroeg zaten kauwgomballen, maar ook prentjes van filmsterren. Ik hoopte zo dat er naast een kauwgombal een kaartje van Tarzan zou uitschuiven. Dan kon ik Jane spelen en apen temmen en gillen als er een leeuw op me afkwam zodat mijn papieren Tarzan me kwam redden.

Ik fantaseerde ook dat madame Lucienne me het boek van Tiny cadeau gaf – oh, wat had ik dat graag gekregen – maar daar was madame Lucienne veel te krenterig voor. Ik mocht er alleen in kijken.

Katelijne gaf me wel een paar Tiny-boeken – toch voor een tijdje – maar niet zomaar...

Katelijne

Katelijne woonde aan de overkant van de straat in een villa die middenin een park stond met een hoge taxushaag eromheen. Ze was acht jaar ouder dan ik en drie hoofden groter. Ze had blonde stekels, watergroene ogen, een sproetenneus en een korte broek waaruit knokige knieën staken, opgehouden door een riem waaraan een katapult bengelde. De eerste keer dat ik haar zag, dacht ik dat ze een jongen was. Haar armen hingen klungelig naast haar lijf en ze bewoog ze als een houten klaas. Haar handen verdwenen om de haverklap in haar broekzakken. Ze nam grote, wijde stappen en ze liep met haar voeten naar buiten.

Ik stond aan het hek met mijn hoelahoep en liet die behendig om mijn middel draaien en dan om mijn armen en mijn nek. Katelijne stak de straat over. Haar bewonderende blik ontging me niet.

'Hé, jongen, wil je het ook proberen?' vroeg ik.

Ze schudde haar hoofd. 'Ik ben geen jongen, ik heet Katelijne, en ik mag niet met crapuul spelen.'

'Oh,' zei ik alleen maar.

Ik raapte mijn hoelahoep op, liet die om me heen draaien en huppelde het tuinpad af naar de keuken.

Boven een teil met zeepsop propte mijn grootmoeder een vaatdoek in een vieze koffiekop. De hor maakte wat wind en deed de vliegenvanger, een kleverig bruin lint vol vliegenlijken, heen en weer wiegen. Ik gruwelde want één van de vliegen zoemde klaaglijk en probeerde weg te raken terwijl haar pootjes en vleugels onverbiddelijk vastzaten.

'Wat is crapuul?' vroeg ik. Ik wilde het echt weten want de buurman noemde ons zo en Katelijne ook.

Mijn grootmoeder liet de vaatdoek in de teil vallen en veegde met de rug van haar hand een lok uit haar ogen om naar me te kijken.

'Hoe kom je daarbij, Marina?' vroeg ze verbaasd.

'Zomaar.'

De vaatdoek dreef in de teil en joeg schuim naar de kant. Mijn grootmoeder staarde in de teil alsof het antwoord daar te lezen stond.

'Crapuul slaat kinderen,' antwoordde ze en ze sopte ijverig verder.

De volgende dag zat ik in de kring van mijn hoelahoep bij het hek te bikkelen met een paar kroonkurken van de pilsjes van mijn grootvader. Katelijne stak de straat over. Ze had een leren broek aan waarin reepjes waren geknipt.

'Ik ben geen crapuul,' zei ik.

Ze perste de lippen op elkaar en ik veerde overeind, griste mijn hoelahoep beet en liet die aan een ijltempo om mijn middel slingeren. Na een poosje hield ik mijn lichaam stil en voor de hoepel neerviel, ving ik hem handig op.

'Wil je ook eens proberen?' Ik stak mijn hoelahoep tussen de spijlen van het hek.

Katelijne bakte er niets van. De hoelahoep gleed meteen naar haar knieën en kletterde op de grond.

'Mijn ouders zijn gaan werken,' zei ze. 'Wil je meekomen naar mijn huis?'

Ik rende naar de keuken om het aan mijn grootmoeder te vragen.

'Bij dat rijk volk van hierover?' wilde ze weten. Ze keek alsof rijk volk een klef geworden snoep was die aan je gehemelte bleef kleven. 'Is die rosse bonenstaak niet wat te oud om met jou te spelen?'

Ik sprong van het ene been op het andere. 'Mag ik?'

'Voor een halfuurtje, Marina. Niet langer,' zei ze met tegenzin.

In de tuin om het huis kronkelden paadjes van kasseistenen. Er waren borders met bloemenzeeën en perken geurende rozen met buxushagen eromheen. In een niervormige vijver dreven waterlelies en eendenkroos.

Ik stuiterde als een springballetje achter Katelijne aan en keek mijn ogen uit.

Je kon je spiegelen in de vloerstenen in de hal. Er stond een hoge kast met een dakje en daarin hing een potsierlijke klok met krulwijzers en een enorme koperen klepel. Aan de muur hingen houten rekjes met daarop Vlaams aardewerk, groen en oker gevlamd: korte bolle en lange smalle kruiken, een schaal, potten met deksels waaruit houten lepels staken.

Bij mijn grootouders stonden dozen in de gang met oude kranten en bierkratten en twee brommers.

Katelijne loodste me naar een enorme speelkamer. Bij het raam liep een glinsterend treinspoor met knalrode locomotieven en wagonnetjes. Er stond een poppenbed met een hagelwit lakentje over een teddybeer die er wollig en zacht uitzag. Op een plank stond een rij boeken om duizelig van te worden. Mijn moeder had in december een halve dag geen sprot in kisten gelegd om met mij naar Sinterklaas te gaan. In de *Bon Marché* hadden ze een verhoog voor de heilige man getimmerd. Mijn moeder had me naar de troon moeten slepen want ik was bang voor de eeuwenoude kerel met prikbaard en brokaten kleren. Daarentegen vond ik het speelgoed rondom hem geweldig. Ik was diep teleurgesteld omdat de handschoenenhand van Sinterklaas alleen maar een karamel in mijn jaszak liet vallen en me geen pop of winkeltje gaf.

Katelijnes speelkamer leek de *Bon Marché* in het klein.

In de eindeloze rij met boeken herkende ik een boekenrug en ik wees ernaar en vroeg: 'Mag ik er eens in kijken?'

'Natuurlijk mag je. Ik lees dat stomme boek al lang niet meer.'

'Ik kan nog niet lezen,' bekende ik kleintjes en ik pakte *Tiny op de boerderij* van de plank.

Ik bladerde langzaam en liet me net als bij madame Lucienne meenemen op reis in de wondere wereld van Tiny. Mijn reis duurde voor Katelijne te lang.

'Als je wilt, mag je het boek hebben,' zei ze.

Er dook een zwerm vlinders in mijn buik die daar heel hard fladderden en ik hapte naar adem.

'Echt? Om te houden?'

'Ja,' zei Katelijne.

Haar vingers speelden met de reepjes leer aan haar bretellen.

Ik kon het niet geloven.

'Daar moet je wel iets voor doen,' zei Katelijne.

'Wat dan?' vroeg ik gretig als een hondje dat aan een volle mergpijp mocht ruiken.

Ze haalde de schouders op.

'Ik weet nog niet... Kun je een koprol maken?'

Ik voelde mijn onderlip zakken. Bedoelde ze dat ik voor een stomme koprol dat boek kreeg? Als er één ding was dat ik goed kon, dan was het dat wel.

De oude matras in de kelder, waarmee mijn grootvader de winteraardappelen afdekte, was mijn koproloefenterrein.

Katelijne sleepte wat dozen met puzzels aan de kant en wees naar de mat.

'Doe maar!' zei ze.

Ik pootte mijn hoofd in het midden en tuimelde. Door de mat voelde de vloer hard aan en met warme wangen kwam ik weer overeind.

'Goed?' vroeg ik.

Ze knikte.

Ik kon wel dansen en dacht: hoera, ik heb een Tiny-boek verdiend.

Maar daar dacht Katelijne anders over.

'Tuimel nog maar een paar keer en trek je rok wat op. Anders scheurt die nog.'

Ik trok mijn rok omhoog tot aan mijn onderbroek en koprolde heen en weer tot mijn hoofd knalrood was, ik alle wervels van mijn rug voelde, mijn oren suisden en Katelijne eindelijk zei dat het genoeg was.

Ik krabbelde overeind en met mijn handen in mijn heupen snakte ik naar adem. Met een kurkdroge mond wees ik naar het Tiny-boek.

Katelijne griste het beet, kwam voor me staan en klapte het open.

'De eerste bladzijde heb je al verdiend. Nog drieëntwintig te gaan.'

De fladderende vlinders vlogen mijn buik uit. Ik slikte. Het was natuurlijk stom van me om te denken dat je met wat koprollen een boek kon verdienen.

Katelijne keek op haar horloge.

'Tijd om naar huis te gaan. Speel je morgen weer bij het hek? Misschien kun je dan nog een paar bladzijden verdienen.'

De volgende dag zat ik met Pokkie bij het hek. Ik hield het poortje aan de overkant nauwgezet in de gaten want ik wilde zo graag dat Tiny-boek hebben. Mijn vingers harkten takjes en blaadjes uit Pokkies vacht. Het was bloedheet en haar tong hing uit haar bek en er droop speeksel in het zand. De zon maakte er bolletjes glas van.

Eindelijk stak Katelijne de straat over.

'Is dat jouw hond?'

Ik knikte.

'Vind je hem niet vies?'

'Pokkie is een meisje,' antwoordde ik. 'En natuurlijk vind ik haar niet vies!'

'Echt niet?'

Ik schudde het hoofd.

Pokkie at muizen en beet ratten de kop af. Soms waren ze haar te vlug af en gaven haar een knauw. Daardoor zaten er heel wat kale plekken om haar snoet. Ze groef grote holen in de aarde en in haar stekelige krullen hingen kluiten gedroogde modder. Ze had vaak teken die mijn grootvader draaiend uit haar vel trok om met zekerheid de acht poten mee te hebben. Hij gooide ze in de asbak en verschroeide ze met een brandende sigaret. Pokkies ogen waren etterig en ze krabde onophoudelijk aan haar oren die vol zwarte prut zaten. Voor andere mensen was ze een smerige hond maar voor mij was ze de allerliefste en de allermooiste.

'Durf je aan haar tong te likken?'

Ik tikte met mijn wijsvinger tegen mijn voorhoofd.

Katelijne keek me met half toegeknepen ogen aan.

'Ze is toch niet vies, zei je? Voor Tiny... Drie bladzijden.'

Ik keek naar het slijmerig lapje roze vlees dat uit Pokkies bek flapperde. In mijn buik sloop een knagend gevoel, maar in mijn hoofd tuimelden Tiny, haar hondje Poeffie en een resem boerderijdieren.

Mijn grootvader beweerde dat de tong van honden medicijn bevatte en dat wonden ervan genazen. Van wat medicijn zou ik niet doodgaan.

'Hoeveel bladzijden moet ik dan nog?'

'Twintig.'

Ik voelde mijn armen langs mijn lichaam vallen en uit mijn mond kwam een diepe zucht.

'Twintig? Twintig is nog zo veel.'

'Welnee, tegen het einde van de week is Tiny helemaal van jou. Alleen een beetje likken,' zei Katelijne.

Het klonk luchtig als opgeklopt eiwit. Ik was vastberaden om Tiny in huis te halen. Een onzichtbare hand duwde mijn hoofd naar Pokkies kop. De slijmerige tong werd almaar groter en rozer en natter. Mijn tong piepte uit mijn mond en raakte Pokkies muil. Het glibberde, voelde een beetje als warme pudding en smaakte vissig. Was het dat maar voor drie bladzijden? Ik wentelde mijn tong nog een paar keer in Pokkies muil rond. Het beest vond mijn tongzoenen maar niets en liep weg. Ik veegde met de rug van mijn hand het speeksel van mijn mond.

'Zo,' zei ik. 'Tel daar maar vijf likken bij op.'

Katelijne deed het met tegenzin en ze keek bedremmeld.

'Nog vijf bladzijden te gaan,' rekende ze. 'Ga je mee naar huis?'

Het meisje met de nopjessjaal en haar hondje Poeffie hadden
me helemaal in hun macht.

'Kan ik nog wat verdienen?'

Katelijne knikte.

Mijn grootmoeder gaf me een halfuur en ik stormde de straat
over achter Katelijne aan.

Mijn ogen konden moeilijk kiezen en hopsten door de speelkamer en ik ontdekte poppenkastpoppen die ik de dag ervoor
niet had opgemerkt, waaronder de wolf en Roodkapje en een
gietijzeren speelgoedkassa en tinnen soldaatjes. Ik liet een
wijsvinger over de soldatenhelmen glijden en toen pinden
mijn ogen zich als magneten vast op *Tiny op de boerderij*.

Katelijne tikte met haar wijsvinger op haar horloge. Ik trok
mijn rok omhoog en ging voor de mat staan.

'Nee, nee! Geen koprol!' riep ze.

Ik zette mijn handen in mijn heupen en schudde mijn voeten
los net zoals voetballers doen wanneer ze een strafschop gaan
geven.

'Wat dan?' vroeg ik, klaar voor een nieuwe sportieve prestatie.

Katelijne stak één van haar handen in haar broekzak en begon
te woelen. Eerst dacht ik dat ze een zakdoek zocht en daarna
dat er misschien een mier in haar broek gekropen was en ze er-
ge jeuk had.

'Doe toch maar een koprol,' zei ze met troebele ogen. 'Maar
dan zonder onderbroek.' Haar stem klonk vreemd hees en
haar hand friemelde almaar wilder. De broekzak ging op en

neer alsof er een kikker uit wilde ontsnappen.

Mijn wangen begonnen te gloeien en mijn armen en benen tintelden alsof ik door een veldje brandnetels had gelopen. Van mijn grootmoeder mocht ik mijn onderbroek alleen maar uitdoen om een verse aan te trekken of om naar de wc te gaan. Katelijne was een hulpeloos scharrelend vogeltje geworden dat op de grond neerzakte.

'Toe,' fluisterde ze.

'Is het boek dan helemaal van mij?'

Mijn stem schoot bij het laatste woord uit. Ik leek wel een mekkerend geitje.

Ze knikte.

Mijn onderbroek viel in een hoopje naast me neer en ik pootte mijn hoofd op de mat. Eerst maakte ik een voorzichtige koprol met mijn knieën tegen elkaar geperst maar dan begon ik te buitelen met de vrolijkheid van varkentjes in een modderpoel die spetterden, knorden en kreunden.

Net als Katelijne naast me.

Als mijn grootmoeder even ging zitten voor een kop koffie, duwde ik het Tiny-boek in haar handen om het voor te lezen. Tussen de pilsjes en het voederen van zijn duiven, bedelde ik bij mijn grootvader om dat te doen. In het weekend stopte ik het boek in de handen van mijn vader en moeder. Na een week kon ik het boek woord voor woord nazeggen, net als het weesgegroet.

Soms wilde mijn moeder zich er vlugger van afmaken door een zin over te slaan maar dat hoorde ik meteen en dan protesteerde ik tot elk woord was gevallen.

Op de plank van Katelijne stonden nog meer Tiny-boeken en ik was goed op weg om een tweede binnen te halen. Het leven was mooi.

Tiny en Marina, onafscheidelijke vriendinnen, door dik en dun. Zij had Poeffie en ik Pokkie.

Vier Tiny-boeken later stond Katelijne bij het hek met een gezwollen oog en een dikke lip.

'Mijn vader is woest dat ik je in huis liet en de boeken gaf. Ik moet ze terugvragen.'

Ik was zo verbolgen dat ik niet eens vroeg waarom haar oog dicht zat en er een bloedkorst aan haar onderlip hing.

'Gaf?' perste ik uit mijn keel. 'Gaf? Gaf?' Ik leek wel een haperende grammofoonplaat van Mona's jukebox.

Ik had in mijn blote billen koprollen gemaakt tot ik duizelig was en had uren met een penseel de opkomende bobbels van Katelijnes borsten gestreeld en tussen haar benen geaaid terwijl ze zuchtte en kronkelde.

De Tiny-boeken waren het waard vond ik, maar nu moest ik ze afgeven. Het was allemaal voor niets geweest. Mijn vuisten wilden heel hard op Katelijne timmeren, mijn tanden wilden haar bijten, mijn vingernagels wilden zich diep in haar vel boren en krabben.

.

32

Maar ik stond aan de grond genageld, de gootjes van mijn ogen liepen over en er rolden tranen over mijn wangen.

'Dat is niet eerlijk. Ik... ik... heb de boeken verdiend.'

'Ik weet het,' stotterde Katelijne. 'Het spijt me, Marina.'

Haar ogen glansden vreemd en ik zag haar tranen wegslikken. Ze meende het. Ik had liever gehad dat ze het niet meende en me uitlachte.

De top van mijn wijsvinger wees naar de dikke lip en het oog.

'Je vader heeft je toch niet...'

Ze draaide haar stekelkop van me weg.

'Ik mag nooit meer met je spelen,' mompelde ze. 'Nooit meer.'

Mijn woede kolkte even weg, als water in de gaatjes van een wastafel maar borrelde meteen weer op.

'Crapuul,' zei ik.

In een vlaag van tranen dwarrelde ik naar binnen om de Tinyboeken te halen.

'Bedankt,' mompelde Katelijne en als een geslagen hond liep ze de straat over en verdween achter het hek.

Katelijnes vader, de dikke nek met zijn kale kop en zijn vette Mercedes, zoals mijn grootvader hem noemde, wilde ik een lesje leren.

Ik ploegde mijn hoofd om, maar vond er bitter weinig. Een pak rammel verkopen? Daar was ik een veel te grote schijtlaars voor. Ik maakte trouwens geen schijn van kans tegen zo'n grote vent. Pokkie op hem afsturen? Ach, die was veel te lief en als

33

ze een schop kreeg, zou ze met de staart tussen de poten jankend wegrennen. De tuin insluipen en een steen door een raam gooien? Dat durfde ik alleen in mijn allerstoutste dromen.

Toen ik die avond voor mijn grootvader een pilsje uit de kelder ging halen, lag de oplossing daar voor het grijpen. In een hoek van de kelder stonden al een hele tijd drie flessen roze yoghurt die mijn grootmoeder was vergeten. Er dreven blauwgroene schimmelogen op.

Katelijnes vader zette elke ochtend zijn auto buiten het domein om dan een halfuur later weg te rijden. De Mercedes was zijn trots. Hij kon zich erin spiegelen en soms zat hij er met zijn neus op om er een klein spatje met zijn zakdoek af te vegen.

Mijn grootvader was naar zijn werk en mijn grootmoeder had een ketel water op het vuur gezet om het witgoed af te koken. Het huis vulde zich met de geur van bleekwater en zeep.

Ik zat boven bij het raam op wacht. De Mercedes gleed naar buiten. Zoals gewoonlijk parkeerde Katelijnes vader zijn auto in de berm op straat en wandelde weer de tuin in.

Mijn hart ontplofte haast, mijn knieën knikten en ik twijfelde.

Toen zag ik mezelf de Tiny-boeken weer afgeven aan Katelijne met haar gehavende gezicht en ik voelde de pijn opnieuw opborrelen.

Op mijn pantoffels en met ingehouden adem liep ik de trap af.

Mijn grootmoeder had niets in de gaten. Ze roerde met een enorme houten lepel in de kookwas en waakte dat het water niet overkookte en de gasvlam doofde. Het suizen van de gasvlam en het borrelende waswater overheersten mijn voetstappen.

Ik pakte de flessen met bedorven yoghurt op – voorzichtig zodat ze niet tegen elkaar klingelden – en ik sloop langs de voordeur naar buiten.

Met trillende vingers pulkte ik de stoppen van de flessen en schudde de yoghurt uit. Een fles op de neus van de chique auto, een andere op het dak en de laatste op de kofferbak. Roze smurrie droop langs de glimmende carrosserie en gleed over de ramen.

Ik griste haastig de lege flessen beet, schoot de straat over, vluchtte terug het huis in en rende naar boven. Met kloppend hart ging ik terug in mijn bed liggen. Langs mijn duim liep een straaltje bloed. Ik had me aan één van de stoppen gesneden. Toen werd er gebeld.

Ik propte mijn wijsvingers in mijn oren en kneep mijn ogen potdicht: ik wilde eventjes van de aardbol verdwijnen. Maar mijn nieuwsgierigheid was groter dan mijn angst. Ik haalde mijn vingers uit mijn oren.

'Wat? Yoghurt op je auto? Meneer, je bent aan het verkeerde adres. Ik ben met de was bezig en mijn kleindochter slaapt nog. Marina!' riep mijn grootmoeder.

'Ja!' antwoordde ik zo slaperig mogelijk.

'Zie je wel, goeiedag meneer.'

De deur werd dichtgegooid en mijn grootmoeder hinkte door de gang naar de kelder.

'Marina, heb jij die flessen yoghurt gezien?'

'Ik heb ze uitgegoten. Er zaten ogen op.'

'Dat is goed, kind,' riep mijn grootmoeder en ze haastte zich naar de wasketel.

Enkele maanden later werd het huis aan de overkant verkocht.

Het gezin verhuisde. Ik zou Katelijne nooit meer zien, al gaf ze een jaar later wel een teken van leven...

Het allereerste boek van mezelf

een man met een aap.
het is vier uur.
de bijl van oom.
het schip is op zee.
jan en mie.
een geit in de tuin.
poes bijt de duif.

De zinnen stonden op grote borden met tekeningen erbij en ze
hingen aan de muur toen we in september de klas inkwamen.
Elke week pakte juffrouw Nelly zo'n bord van de muur en dan
leerden we die zin lezen en schrijven.
Ik vroeg me af waar die man die aap vandaan had gehaald,
waarom het vier uur was en wat oom zoal deed met zijn bijl.
Ik droomde weg en verzeilde in een spannend verhaal.
'Zit je weer te slapen? Heb je weer te lang op café gezeten?'
Juf Nelly greep me bij mijn arm en sleurde me naar de nis achter het bord. Ze trok me naar beneden, maar mijn hoofd volg-
de te traag. Ik knalde tegen de krijtbak aan en gilde het uit.
'Je kunt niet verstoppen uit welk nest je komt. Jij met je platte
"a"!'

De meisjes in mijn klas konden alleen mijn benen zien. De rest van mijn lichaam zat achter het bord en er werd gegniffeld om mijn grauwe knieën, afgezakte kousen en versleten schoenen.

Ik keek de a's uit de mond van juffrouw Nelly om te horen hoe het moest en begon een worstelpartij met mijn platte 'a'.
Ik was goed op weg om dat gevecht te winnen en mijn 'a' werd scherper.
Toen vonden mijn grootouders en ouders dat ik erg bekakt praatte.
'Marinaatje krijgt juffertjesmanieren.'
Ze hadden gelijk. Het was vreemd om mezelf te horen. De platte 'a' voor thuis en de scherpe 'a' in de klas besloot ik en zo zou iedereen tevreden zijn. Maar juffrouw Nelly was nooit tevreden, wat mij betrof.
Lezen ging vanzelf voor mij en het oplossen van sommen ook. Mijn schoonschrift daarentegen was een miezerige vod. Ik was een 'linksepoot', net als mijn grootmoeder, en de knoken van mijn pink wreven over de lussen, beentjes en golfjes van letters die ik pas had geschreven. Er zat ook nog eens een braam aan mijn pen. Soms bleef ze haperen, en gingen de twee helften van de punt uit elkaar en dan spatte er inkt uit.
Op elk blad van mijn schoonschrift zaten vegen, sporen van wanhopige vingers die de inktvlekken probeerden uit te wissen en kleine en grote spatten met daarnaast driftige rode zinnen van juffrouw Nelly en dikke nullen.

Juffrouw Nelly zette me apart want: 'Niemand wil naast zo'n onverzorgd, groezelig kind zitten.'

Haar woorden sneden door me heen.

'Heb je in het kolenkot geslapen vannacht? Al van zeep gehoord? Kijk, Marina Vuilpot! Lach eens? Dan zien de kinderen wat er gebeurt als je te veel snoept en je tanden niet verzorgt.'

'Het zijn maar melktanden. Ze vallen toch uit,' troostte mijn grootmoeder.

Veronique met haar keurige kastanjebruine vlechten en witte kraagjes, de dochter van dokter Willems die in het schoolbestuur zat, was de grote lieveling van juffrouw Nelly. Ze haalde haar neus op als ik voorbijliep en wapperde zichzelf frisse lucht toe.

Veronique had altijd een schare meisjes om zich heen die met haar heulden en dat nog harder deden als juffrouw Nelly passeerde, want een vriendin van Veronique stond bij juffrouw Nelly in een goed blaadje. Er werd wat afgewapperd in de klas...

De wapperaars mochten op woensdagmiddag gaan zwemmen bij Veronique. De Willemsen hadden immers een zwembad in de tuin, met blauwe tegels en op de bodem, in mozaïek, een grijze dolfijn. Dat wist ik van horen zeggen want zelf werd ik natuurlijk nooit uitgenodigd. De meisjes likten er aan frisco's en aten éclairs en pannenkoeken.

Op één van die partijtjes maakte Veronique een lied:

Kijk Marina Vuilpot.
Haar tanden zijn rot.
In haar kleren zit de mot.
Ze ruikt naar de wc-pot.
Haar opa zuipt en heet Juul.
Marina is een groot crapuul.

Crapuul, dat woord leek wel mijn schaduw.
Juffrouw Nelly liet Veronique en haar vriendinnen ongestraft
zingen, maar duwde mij hardhandig achter het bord omdat ik
op het schoolplein van blonde Veronique had gezongen.
In de jukebox van Mona zat een plaatje van zwarte Lola die in
een stripteasebar werkte en ik had de tekst wat aangepast.
Willen de heren zich amuseren dat staat ze altijd voor hen klaar,
blonde Veronique uit de stripteasebar.
Uren moest ik turen naar de achterkant van het bord. Veronique en haar vriendinnetjes kregen die achterkant nooit te zien.
Dorien wel. Zij vloog in de nis achter het bord omdat ze dom
was.
Juffrouw Nelly zuchtte en kermde achter Doriens schouder
wanneer ze sommen probeerde op te lossen. Daarvan ging
Dorien nog meer twijfelen en ze veranderde de cijfers dan
maar op goed geluk.
'Dorien, wat zit er in je hoofd? Appelmoes?'
Dorien Appelmoeskop en Marina Vuilpot, twee zwarte scha-
pen die stinkende drollen lieten vallen in een kudde met wit-

te, wollige schaapjes waarvan de winden naar rozen roken en de drollen fijne chocolaatjes waren. We waren voorbestemd om vriendinnen te worden.

'Ik wil later bloemen verkopen,' zei Dorien toen ze weer eens de volle lading van juffrouw Nelly had gekregen omdat ze maar twee van de tien sommen juist had. 'Daar moet een mens toch geen rekenwonder voor zijn?'

Als klanten meer dan acht bloemen zouden bestellen, zou Dorien de tel kwijtraken. Ze zouden ook altijd te weinig of te veel betalen omdat Dorien niet kon rekenen, maar er waren kassa's die papiertjes met het juiste bedrag uitspuwden.

Ik zei dat ze een opperbeste verkoopster zou worden en dat ik elke feestdag bloemen bij haar zou kopen. Dorien stak twee vingers in de lucht en beet er zo hard in dat haar tanden er een uur later nog in stonden en zwoer dat ze aan Veronique alleen maar pisbloemen en distels zou verkopen, voor grof geld nog wel, en dat haar winkel voor juffrouw Nelly verboden terrein zou zijn.

Het schooljaar leek een gebrekkige slak, die tergend langzaam voorbijkroop. De slak zag hoe juffrouw Nelly de kolenkit in de kachelpot leeggoot en oppookte tot die roodgloeiend was en met een paar witte schaapjes de kerstboom versierde; hoe ze een Driekoningentaart in puntjes sneed en Veronique en haar vriendinnen toevallig een stuk met boon kregen en Dorien en ik alleen maar deeg; hoe ze de lente in de klas haalde met wilgenkatjes uit Veroniques tuin en we mandjes knutselden van

41

lege kaasdoosjes waarin de paasklokken eitjes strooiden. De gebroken en gedeukte eieren in de mandjes van Dorien en mij. Ik, Marina Vuilpot, met mijn vieze kleren en mijn rotte melktanden, die op een gammele brommer naar school werd gebracht door mijn grootmoeder zonder tanden of mijn grootvader die naar bier rook en zo plat sprak dat de enorme beukenboom aan de schoolpoort net overeind bleef... Ik was juffrouw Nelly's grootste kopzorg.

Ik kon net iets beter rekenen dan haar lieverdje Veronique, dochter van dokter Willems waarvoor ze net geen knieval deed als hij in haar buurt kwam. Daar wist juffrouw Nelly een mouw aan te passen. Ze gaf me een punt minder voor een veeg op mijn rekenblad of een cijfer dat er wat slordig uitzag of voor de nesten in mijn haar.

Ik vluchtte in de letters. Letters die woorden vormden en samen zinnen werden om dan verhalen te worden...

Mijn ogen slingerden zich gulzig om Boon, het mannetje van ons leesboek dat een duim groot was en in een luciferdoosje paste, dat verdwaalde in een veldje klaver, in de klauwen van een poes terechtkwam en elke leesles voor zijn leven moest rennen. Boon stond aan mijn kant. Hij liet zich gemakkelijker door crapuul lezen en deed Veronique struikelen.

Ik las het etiket op de confituurpot, de reclameborden waar we met de brommer voorbijraasden en de titels van de liedjes in Mona's jukebox. Ik keek verlangend uit naar de Patskrant die elke dinsdag gratis bij de krant zat en spelde elke letter van Piet

Fluwijn, Bolleke en de lustige kapoentjes.

Nog twee uur en de grote vakantie zou beginnen. Mijn armen staken veel te ver uit mijn zomerjas van vorig jaar. Ik had het roze truitje van mijn moeder aan dat te warm gewassen was. De stof was gekrompen waardoor het truitje me paste. In mijn schoenen zat een scheur want ik had mijn enkel omgeslagen bij het hinkelen.

Juffrouw Nelly was ziek geweest en een vervangleerkracht had examens afgenomen en zij had geen punten afgetrokken voor vieze vingernagels of klitten in het haar of gewoon omdat ik een kind van een bij elkaar geraapt zootje was.

Juffrouw Nelly en de directrice stonden vooraan in de klas. Hun ogen brandden op mij en ze praatten in het Frans. Ik snapte er geen jota van en dat was ook de bedoeling. Maar ik wist wel waar ze tijdens de pauze over hadden gesproken...

Terwijl ze onder het afdak hadden staan fezelen, stond Dorien er tegen de muur te kaatsen. Ze was misschien wel dom, maar kaatsen kon ze, met vier ballen tegelijk, en ondertussen kon ze ook nog luistervinken.

'Marina Vuilpot is echt geen uithangbord voor de school en nu heeft dat scharminkel de beste punten van de klas. Er is ook nog orde en netheid en wellevendheid,' hamerde juffrouw Nelly bij de directrice. 'Attitude! Veronique heeft een paar puntjes minder, maar ze is een toonbeeld. Haar vader doet zoveel voor de school. Marina is onverzorgd, haar wellevendheid is ver te zoeken en haar familie... Haar ouders...'

'Juffrouw Nelly keek alsof ze twintig pakken friet had gegeten en een kotszak nodig had,' vertelde Dorien.

'Het is onbetamelijk,' was juffrouw Nelly verdergegaan. 'Kinderen met een kind. Heb je die vader gezien? Die bakkebaarden? En dan die moeder met dat witgeverfde haar en die veel te korte rok. Een ordinair schepsel! Ze werkt in de vis. En dan die grootouders... Zulk volk aan de schoolpoort is geen reclame!'

Bepaalde woorden waren te moeilijk en kon Dorien zich niet meer herinneren, maar ordinair had ze wel onthouden. We wisten niet wat het betekende, maar het woord rook niet bepaald naar seringen of meiklokjes.

Juffrouw Nelly sloofde zich uit voor lieverdje Veronique. En ze slaagde in haar missie, al was het maar half.

De directrice besliste dat er dan maar twee leerlingen de eerste van de klas moesten zijn en dat er dus twee prijsboeken zouden worden uitgedeeld.

Bij het overhandigen van de rapporten stak de directrice bij Veronique een lofzang af. De mond van juffrouw Nelly tuitte van trots en ze legde haar handen op elkaar en schudde ermee alsof ze een prachtige vlinder zou laten vliegen.

Veronique glunderde en wierp stiekem venijnige blikken.

Ik kreeg twee zuinige woorden: 'Goed gewerkt.' De vlinder van juffrouw Nelly was gaan vliegen en ze wrong met haar handen alsof er een vieze dweil inzat. Haar mond was een zure pruim.

Veronique kreeg een boek met eenlettergrepige woorden. Mijn prijsboek was eigenlijk voor oudere kinderen bedoeld en had de directrice wellicht lukraak van een stapel gegrist.

Ik kon de titel moeiteloos lezen: *Onder moeders vleugels.*

Ik verlangde zo om dat boek in mijn handen te hebben dat ik de directrice vergat te bedanken.

'En wat zeggen we dan?' snibde juf Nelly. 'Kijk, mevrouw de directrice, zo pover is het gesteld met de beleefdheid van Marina. Dat bedoel ik dus.'

Mijn wangen kleurden dieprood. 'Dank u, mevrouw de directrice,' stamelde ik. Het was echt niet mijn bedoeling om onbeleefd te zijn. Ik was gewoon in de ban van de vleugels van die moeder in dat boek en hoe het daaronder wel moest zijn.

Het huiswerk van Gerard, Jo en een plaksnor

Mijn grootvader kwam met zijn brommer aangetuft. Hij leunde op zijn stuur, zwalpte van links naar rechts en lachte zijn bruine tanden bloot. Ik zwaaide triomfantelijk met *Onder moeders vleugels*.

Op de brommer stond een mand met een konijn.

'Mona wil een nestje konijnen,' riep hij boven de rammelende motor uit en hij wees naar de mand. 'Gerard moet zijn huiswerk gaan maken.'

Gerard wel, dacht ik, maar ik niet. Het is grote vakantie en ik ga lekker *Onder moeders vleugels* lezen. Honderd en dertien heerlijke bladzijden.

Ik klom op de brommer tussen de konijnenmand en mijn grootvader.

'Is dat een prijsboek?' vroeg hij.

'Ja.'

'Wil dat zeggen dat je de eerste van de klas bent?'

'Ja!'

'Marinaatje, proficiat. Daar gaan we er één op drinken!'

De brommer spuugde eerst een paar roetwolken, dan een vaantje blauwe rook en sputterde weg. Juffrouw Nelly kwam net de schoolpoort uitgewandeld. Ze keek ons na alsof ze in een citroen had gebeten.

Mona droeg altijd lakmuiltjes met pompons waaruit haar mollige voeten met eeltzolen puilden. In haar oren bengelden gouden oorringen die met haar hoofd meebewogen en om haar volle armen rammelden vergulde kettingen. Als ze lachte blikkerden er een paar gouden tanden in haar mond. Haar blauwzwarte haar met hier en daar een grijze lok stak ze met goudkleurige spelden op. Mona had iets met goud en met porseleinen postuurtjes en met de Zangeres Zonder Naam. Ze duwde de drie en de vijf van de jukebox in om haar kroeg met *Ach vaderlief, toe drink niet meer* te vullen.

Ze gaf mijn grootvader een borrel voor het huiswerk van Gerard. Ze kon er moeilijk een aan Gerard geven.

'Ons Marina is de eerste van de klas,' zei mijn grootvader trots.

'Samen met de dochter van de dokter.'

'Nee!' riep Mona en ze sloeg haar handen voor haar mond. Haar wenkbrauwen die zwaar bijgetekend waren, vormden driehoekjes van verbazing.

'Echt, Marina?'

Ik knikte. Ze rammelde in een lade en gaf mij een paar geldstukken voor de jukebox.

'Hier, meisje. Duw maar *Marina, Marina, Marina* en kies zelf ook maar een paar liedjes.'

'Als dat niet mooi is van Mona,' zei mijn grootvader. Zijn lege borrelglaasje tikte nog maar eens op de toog.

Omdat het huiswerk van Gerard buitengewoon goed was, tankte Mona het nog eens vol.

Ik duwde op de knoppen vier en zeven en *Marina, Marina, Marina* vulde de kroeg. Voor mijn grootvader koos ik Louis Mariano en *Zwarte Lola* voor mezelf. In mijn hoofd zong ik heel hard mee: 'Blonde Veronique uit de stripteasebar...' en bij het volgende refrein: 'Juffrouw Nelly uit de stripteasebar...' Ik zag die twee al op een roze poef zitten met rode lippen en zwarte nylons. Mijn buik kriebelde van de pret en mijn voeten maakten kleine danspasjes voor de jukebox.

Gerard was van al dat huiswerk doodop en mijn grootvader pakte hem bij zijn nekvel en zette hem in zijn hok zodat hij kon uitrusten.

Mijn grootmoeder smeerde boterhammen. Ze had net haar krant gelezen en de hoornen bril van de overleden vader van madame Lucienne stond nog op haar neus. Ze loerde over de brillenglazen.

'Marinaatje, dat heb je goed gedaan, meisje.'

Mijn grootvader knikte.

'Heel goed!'

Na de boterhammen hinkte mijn grootmoeder naar het for - nuis. Ze kookte een grote pan vanillepudding, legde Petit Beurre-koekjes in een kom en goot de pudding eroverheen.

'Die kom is helemaal voor jou. Voor je goede punten,' zei ze.
Mijn grootvader schoot in de lach. 'Ons Marinaatje rolt vannacht haar bed uit na zo'n kom pudding.'
'Ja, en jij van de borrels,' antwoordde mijn grootmoeder.
Mijn grootvader stond op en liep schokschouderend naar de kelder om een pilsje.
'Van die twee vingerhoedjes die ik van Mona kreeg, zeker? Deze kerel kan wel wat meer verzetten.'
Mijn grootmoeder plofte op haar stoel neer, pelde een hoedje van een sinaasappel en duwde er een suikertje in. Mijn grootvader goot een pilsje naar binnen. Pokkie lag op een jute zak te slapen en maakte kleine geluidjes omdat ze droomde.
Mijn grootouders keken naar *Wij heren van Zichem* en lachten om de Witte die in zijn blootje in de beek zwom en de kijvende pastoor Munte. Net toen de pastoor uit zijn dak ging, vervormde het beeld en het zomerse Zichem van Ernest Claes werd een sneeuwlandschap.
Mijn grootvader vloekte tussen zijn tanden en ging aan de antenne draaien om het beeld weer goed te krijgen. Met mijn mond vol smeuïge pudding en doordrongen koekjes begon ik in mijn allereerste eigen boek te lezen.
Het was zomer en de warmte hing in huis, maar in het boek winterde het en ik trok het kraagje van het gekrompen truitje dicht alsof het een warme sjaal was en ik na een fikse winterwandeling bij de zusjes March rond het knetterend haardvuur ging zitten.

De zusjes bleven met hun moeder achter terwijl hun vader naar de oorlog was. Ze speelden toneel op zolder om hun verdrietige moeder op te beuren. Zus Jo schreef de teksten, leerde haar zussen acteren en plakte een snor onder haar neus omdat zij een mannenrol had. Ze verkocht haar lange vlecht toen haar moeder en zussen honger hadden.

Binnenin mijn borstkas zwol iets warms en ook iets treurigs. Ik schraapte het restje pudding uit de kom en likte de soeplepel af. Pokkie likte de kom schoon en ik aaide haar kop. Mijn ogen dwarrelden van mijn grootouders naar de Witte over de uitgezogen sinaasappel en het leeg flesje bier op tafel naar Pokkie en dan weer naar de zusjes March. Jo gaf een hautaine oude tante haar vet, werd eerst verliefd op de buurjongen, later op een professor en wilde schrijfster worden. Jo was alles wat ik wilde zijn en ik las en las en op den duur was ik Jo.

De volgende dag zouden mijn ouders komen en ze zouden voor mijn goede punten rock-and-roll dansen op het koertje naast het konijnenhok. Mijn vader zou mijn moeder over zijn schouder gooien en rond zijn middel draaien en ze zou feilloos op haar hakschoenen terechtkomen. Ik zou heel hard in mijn handen klappen en ze zouden paf staan. Dat ik de eerste van de klas was, dat ik zo'n dik en moeilijk prijsboek verdiend had en bovenal dat ik het al kon lezen.

'Wil je een armbandje of een paar oorbellen voor je goede rapport?' zou mijn moeder vragen.

Ik zou met mijn hoofd schudden en om een plaksnor vragen.

Tiny, zuur en zoet en heerlijke uren in een soepblik

Ik had aan de kauwgomballenmachine mogen draaien tot het Tarzan-prentje eruit schoof. Het hing nu aan een verroeste spijker in het konijnenhok (de jungle). Het was verschoten van kleur, maar voor Jane (ik) maakte dat geen verschil uit. Ze was nog steeds tot over haar oren verliefd op Tarzan.

Jane (ik) ging bananen plukken (gras) voor de apen (konijnen) en kwam tijdens haar zoektocht een hongerige leeuw tegen (Pokkie) en Tarzan (prentje aan roestige nagel) redde haar uit zijn klauwen.

Na Jane kroop ik in de huid van Jo en speelde het hoofdstuk na dat zich op zolder afspeelde. Ik moest mijn bovenlip wat opkrullen want de lijm van mijn snor plakte maar half van te veel onder mijn neus te hangen. De snor gleed de hele tijd weg. Ik kneep afwasmiddel in een kop om zeepbellen te blazen, sopte een oog van ijzerdraad in de kop en blies. Kleine en grote zeepbellen maakten zich van de ijzerdraad los en zweefden weg. Ik hield mijn hand als een luifel boven mijn ogen tegen het felle zonlicht en zag de bellen hoog in de lucht openspatten.

Toen hoorde ik geritsel.

De wind speelde met een papieren draagtas die aan een spijl van het hek hing.

Ik zette mijn zeepbellenspul neer en rende ernaartoe. Ik greep de tas en graaide erin. Een Tiny-boek. Katelijne, flitste het door mijn hoofd. Mijn hart maakte een sprongetje.

Tiny speelt moedertje, las ik.

Het was niet een van de boeken die Katelijne me vorige zomer gegeven had. Die Tiny's hadden al twee levens gehad: een lang leven bij Katelijne en een kort bij mij en dat kon je eraan zien. De boeken die ik met pijn in het hart moest teruggeven, hadden een afgesleten rug, er zaten krassen op de kaft en de bladzijden hadden ezelsoren.

Deze Tiny was gloednieuw, rook ook naar nieuw, had een glanzende kaft en puntgave bladzijden. Er plakte nog een prijsstickertje op. Op de bodem van de tas lag een briefje.

Met mijn snoepgeld gekocht.
Groeten van Katelijne.

Wat een opoffering! Ik zou omkomen zonder snoep. De lade van mijn grootmoeders keukenkast was altijd volgeladen: karamels, toffees, koetjesrepen, chocolade met vullingen in allerlei smaken.

Ik at ervan tot mijn melktanden op karamels leken. Miezerige bruine stompjes die juffrouw Nelly verafschuwde en Veronique en haar vriendinnen op afstand hielden. Die stompjes wa-

52

ren ondertussen uitgevallen en tot mijn grote opluchting groeiden er in de gaten mooie tanden met piepkleine puntjes. Het leken wel juwelen, witte kroontjes voor prinsen en prinsessen van een vingerkootje groot.

'Zie je wel,' zei mijn grootmoeder. 'En als die tanden rot zijn, kun je nog altijd valse nemen.'

Een gebit zoals mijn grootmoeder, dat meestal in een glas water dobberde en in je mond pijn deed en klepperde... Ik keek er niet naar uit.

Tante Irene zorgde voor nog meer snoep. Ik zag haar elke woensdagavond graag komen. Haar buurvrouw was een kruidenierszaak begonnen met een snoephoek en tante Irene kocht er elke week tien van die zakjes. Ze waren gevuld met wit poeder en er stond een prentje op van twee kinderen die ook zo'n zakje in hun handen hielden en als je goed keek, stonden op dat piepkleine zakje ook nog eens die twee kinderen met zo'n zakje. Een zakje op een zakje op een zakje... De zakjes waren bovenaan in een driehoek gevouwen met een gaatje waar een rietje doorstak om het poeder op te zuigen. Het smaakte zuur en tegelijk zoet en prikkelde mijn tong.

Er zat ook een cadeautje bij: een plastic indiaan of cowboy, een fluitje, een piepklein fopspeentje of rammelaartje voor een pop (die ik niet had), een minitol, een fopspin, een autootje of treintje. Ik verzamelde ze allemaal in een soepblik waar mijn grootmoeder de scherpe kanten vanaf had geschuurd. Van een oude schoenendoos maakte ik een theater. De cowboys en indianen waren de acteurs, maar met een snoeppapiertje om hun hoofd konden ze evengoed een fee zijn of een heks. Het fopspeentje en het tolletje waren attributen. De muzikale omlijsting verzorgde ik met het fluitje en de piepkleine rammelaar. De plastic vliegen en fopspinnen waren publiek en kwamen in de autootjes en treintjes naar de voorstelling.

Heerlijke uren in een soepblik. Het had de titel van een boek kunnen zijn. De zoetzure woensdagavond was goed gevuld. Eerst zoog ik het poeder uit een zakje. Niet te vlug, het genot mocht lang duren. Daarna maakte ik de lijmranden van het zakje voorzichtig los, likte er de laatste restjes poeder af en vouwde er een vliegtuigje mee waarmee ik speelde tot het crashte. Of ik knipte een bloem van zo'n zakje en dan was het rietje de stengel. Ik knutselde minivliegers die ik aan wat garen liet wapperen tot ze sneuvelden.

En dan was er ook nog de kleine schat om mee spelen. Tien keer na elkaar. Tante Irene ergerde zich blauw als ik haar met mijn getater onderbrak en mijn grootmoeder één en al oor was en deed alsof tante Irene lucht was geworden. Mijn stem was even belangrijk als die van tante Irene, vonden mijn grootouders.

Tante Irene vond dat ongepast en brutaal. Een snotneus moest zwijgen als grote mensen praatten. De zakjes waren haar geheime wapen. Ze kon naar hartenlust praten, ik onderbrak haar niet meer.

Muilentrekkers, Metje
en een snuifje

Mijn ouders waren ook belangrijke snoepleveranciers. Ze brachten elke zondag een zakje 'muilentrekkers' mee. Grote rode bollen die zo zuur waren dat je willens nillens gekke bekken trok. Als je er te veel van at, verfrommelde je gehemelte.

Het blikken snoeptrommeltje van Metje, mijn overgrootmoeder, zat ook altijd bomvol. Zelf snoepte ze niet, ze snoof. Bruine snuif geparfumeerd met eucalyptus voor door de week en witte met pepermunt voor 's zondags.

Metje snoof bij een opstoot van hoofdpijn, als haar keel rood zat of bij een verkoudheid. Voor de gezelligheid of als er iets te vieren viel of als ze wat troost kon gebruiken.

Ze woonde in een godshuis, een klein rijhuis met groene luiken dat rondom een gemeenschappelijke binnenkoer stond vol bloemen en een stenen waterput.

Metje had ook een eigen ommuurde achtertuin waar een kersenboom groeide en waar ze op een lapje grond groenten kweekte. In een hoek naast de wasdraad stonden bessenstruiken en rabarber.

Metje was een vrouw van uitvindingen. Zo had ze een koperen bel in de kersenboom vastgemaakt met een katrol en touwen die leidden naar een hendel bij de achterdeur. Op die manier kon ze van een afstand de bel doen rinkelen en hoefde ze niet de hele achtertuin door om vogels weg te jagen die haar kersen wilden stelen.

Op het strookje plavuizen aan de achterdeur stond een droogmolen voor stokvis. Metje had die zelf getimmerd en de molen draaide met de wind. Zo konden de vissen zwieren en drogen. Niets bijzonders, er waren nog wel mensen die zo'n droogmolen in elkaar staken, maar Metje had vliegenmeppers aan de molen vastgemaakt die ze met een ijzerdraad vanuit het keukenraam kon bedienen.

Metje leefde van een klein pensioen, maar kon toch heel veel sparen.

'Geen wonder,' zei mijn grootmoeder. 'Metje leeft op pap.' Zoete pap, rijstpap, havermoutpap, karnemelkpap, gortepap, bierpap...

Haar kleren hadden sombere tinten en waren van voor de oorlog volgens mijn grootmoeder. Metje droeg grijze, zwarte en bruine jurken, een zwarte mantel en een zwarte Franse baret. Ze verdiende wat bij door elke vrijdag bij madame Agnes te gaan poetsen.

De late aardappelen moesten dringend opgehoogd worden en Metje kon moeilijk uit de voeten met een zere rug.

Mijn grootvader had vakantie. Dus nadat hij naar de Ronde van Frankrijk had gekeken, snorden we naar Metjes huis. Mijn grootvader beende meteen naar de achtertuin, pakte een schop vanonder het afdak naast het kolenhok en stevende naar het perceeltje met aardappelen.

Metje wees naar een stoel die naast de keukentafel stond. Ze draaide in het rond als een kip die een ei kwijt moest. Met haar voet schoof ze een doos tot bij de stoel waarop ze ging zitten. Om haar mond verscheen de geheimzinnige glimlach van een goochelaar die iets uit een hoed zou toveren. Met beverige handen vouwde Metje de vier flappen van de doos open. Er ontbrak alleen tromgeroffel.

Uit de doos kwamen een Schotse rok, een plooirok, een wollen broek, een keurig wit bloesje, en ook nog een blauw en een roze, zachte wollen truitjes in dezelfde tinten met V-hals, baretten, een manteltje met een fluwelen kraagje, een regenjas met teddyvoering die je er bij warm weer kon uithalen, kousenbroeken in alle kleuren, stapels ondergoed, haarlinten en zelfs een paar schoenen en laarzen...

Ik moest voor Metje gaan staan en ze hield alles voor me alsof ik een paspop was.

'Het is precies je maat,' joelde Metje.

Alleen de schoenen en de laarzen waren te groot, maar met plukken watten of proppen krantenpapier in de neuzen, zou - den ze perfect passen. Het was of die kleren regelrecht uit de kleerkast van Veronique kwamen. En wat een berg! Het plekje in de kleerkast van mijn grootmoeder waar mijn kleren lagen, zou veel te klein zijn.

'Chique hè,' zei Metje terwijl ze alle kleren zorgvuldig terug in de doos legde.

Ik was in één klap eigenares van een rijkeluiswintergarderobe geworden.

Metje duwde haar neus in een hemdje. 'Ze ruiken naar waspoeder. Je kunt ze zo aantrekken, kind.' Ze boog naar me over en sprak opeens zachter alsof er nog mensen in haar keukentje zaten die haar zouden horen.

Madame Agnes had een kleindochter. De afgedankte kleren van die kleindochter werden altijd aan de buren gegeven, maar de buurman had stiekem afgemaaid gras over de muur gekeild, in het sparrenbosje van madame Agnes. Hij dacht natuurlijk dat ze het niet zou merken.

'Dan kent hij madame Agnes niet,' zei Metje. 'Ze ziet alles. Ik durf er mijn onderbroek voor te verwedden dat ze met een witte handschoen langs de kasten gaat om te zien of ik de meubels wel goed heb afgestoft.'

Doe maar niet, Metje, dacht ik. Niemand wil je reuzenonderbroeken met open kruis van voor de oorlog.

Hoe dan ook, madame Agnes was serieus in haar wiek geschoten.

'Het is een schande, madame,' had Metje gestookt. 'Uw goedheid wordt afgestraft. U die altijd zulke prachtige kleren geeft voor hun kleinkind. En dan gebruiken ze uw tuin als mesthoop...'

Daarna had Metje voor zich uit gemompeld (maar toch luid

genoeg) dat Marinaatje in de hemel zou zijn met die prachtige kleren.

'Neem die doos dan maar vlug mee voor ik me bedenk, Alida.'

En dat deed Metje. Ze liet er geen gras over groeien en droeg de buit naar huis. Na enkele straten begon de doos loodzwaar te wegen en toen was er dus iets in haar rug geschoten.

'De dochter van madame Agnes gooit met geld en koopt zoveel kleren dat ze om de zes maanden zo'n doos kan vullen.'

Metjes ogen twinkelden alsof ze de volgende doos al in de wacht had gesleept.

Toen Metje de kleren in de lucht stak, had ik mijn adem te lang ingehouden. Ik duizelde en plofte neer op een stoel.

Het was ook warm die dag en door het gaas van de kleine vliegenkast die op de hoek van de tafel stond, steeg een vieze geur op, een mengeling van ranzige boter en beschimmelde kaas.

Metje nam het niet zo nauw met eten dat geen pap was.

Mijn buik begon te kabbelen. Metje vouwde de flappen van de doos dicht en zette het blikken snoeptrommeltje op tafel.

'Neem maar, Marinaatje.'

Ik schudde het hoofd. Metje keek me aan alsof ze het hoorde donderen. Ik, die snoep weigerde. Er moest iets mis zijn.

'Ik heb buikpijn, Metje.'

Metjes gezicht was een verhalenboek van rimpels en nu kwamen er boven haar neus enkele diepe fronzen van bezorgdheid bij.

'Nu je het zegt... Je ziet zo wit als een kaarsje, kind.'

Ze grabbelde haar snuifdoos uit haar schortzak en schroefde er het dekseltje af. Tussen haar wijsvinger en duim pakte ze een snufje bruine snuif en duwde het voorzichtig tegen mijn neus. 'Ruik maar eens goed,' zei ze. 'Dat helpt.'

Ik snuffelde aan haar vingers.

Het was of er een orkaan door mijn neus ging. Mijn neusgaten gloeiden alsof er een lepel mosterd in zat en de lucht die ik inademde, stootte door tot in mijn achterhoofd. Tranen biggelden over mijn wangen. Ik kon alleen maar niezen en proesten en tranen van mijn gezicht vegen en ik kreeg de kans niet om nog aan mijn zere buik te denken.

'Je hebt weer kleur,' zei Metje.

Toen ik op adem gekomen was, begon mijn buik weer te knijpen. Metje hield van grove middelen en pakte de fles *Elixir d'Anvers* van een plank. Ze vulde een borrelglaasje en zette het voor me. Voorzichtig rook ik aan het gele drankje.

'Het ruikt sterk, Metje.'

'Dat is het ook, Marinaatje. Neus dichtknijpen en dan in één teug leeggieten.'

Mijn neus brandde nog steeds van Metjes snuif en zat nu geklemd tussen mijn duim en wijsvinger. Ik zette het glas aan mijn lippen en kwakte de likeur naar binnen. In mijn keel laaide een vuur op en ik hapte als een vis op het droge.

De likeur maakte een gloeiend spoor naar mijn buik. Het hielp. De pijn verdween op slag.

'Zie je wel,' zei Metje en ze nam er ook eentje voor het geval er buikkrampen bij haar zouden opduiken.

Ik knikte met een hoofd vol pluimen dat een beetje los op mijn nek stond. Toen kreeg ik ook nog eens de hik.

Toen we naar huis reden, knikkebolde ik nog steeds.

'Metje ziet ze vliegen,' blafte mijn grootmoeder. 'Ze heeft Marina dronken gevoerd. Dat kind stinkt naar de likeur en haar neus is bruin van de snuif...'

'Dat is goed tegen de buikpijn,' lalde ik met een dikke tong. 'Ik voel niets meer. Niets... Alle pijn weg... Foetsie.'

Bij foetsie vloog er een fontein speeksel uit mijn mond.

Mijn grootvader haalde de schouders op.

'Ach, Marinaatje zal er niet van doodgaan.'

Hij liep naar de kelder en pakte de jeneverfles.

'Heb je ook buikpijn misschien?' vroeg mijn grootmoeder.

Mijn grootvader trok een sip gezicht. 'Niet te geloven,' kermde hij. 'Marina heeft mij besmet.' Hij gaf me een knipoog.

Mijn grootmoeders boosheid verdween als wasem op een spiegel toen ze in de doos keek. Ze was diep onder de indruk van Metjes buit.

'Die kleren moeten een fortuin hebben gekost,' mompelde ze.

Daar kon madame Lucienne nog van leren want zij had mijn grootmoeder nooit iets gegeven, of ja, de bril van haar overleden vader waar ze zelf geen steek mee kon zien.

De volgende dag timmerde mijn grootvader een kast van een paar vezelplaten. Mijn grootmoeder knipte het beste stuk van een versleten laken en maakte er een gordijn van om voor de kast te hangen.

De kast had vier planken: drie voor mijn kleren en één voor *Onder moeders vleugels*, mijn Tiny-boek en het soepblik met mijn schatten uit de zakjes zuur en zoet.

Aan de zijkant sloeg mijn grootvader een paar spijkers voor de mantel met het fluwelen kraagje en de regenjas. En ik klopte er één spijkertje naast voor Tarzan. Hij mocht van het konijnenhok naar de slaapkamer verhuizen.

Fabian Van Fallada

Juffrouw Nelly had Dorien en mij in de verdoemhoek geduwd en het was of we daar hoorden, ook in het volgende schooljaar bij juffrouw Martha.

Veronique stootte haar vriendinnen aan toen ik na de zomer met de kleren van de kleindochter van madame Agnes het schoolplein op kwam gelopen. De wapperhanden bleven achterwege, ik zag steelse blikken en voelde van alle kanten ogen op mij branden.

'Ze zien groen van jaloezie,' gniffelde Dorien. 'Ik herken je haast niet meer.'

Ik zei het niet, maar ik had ook moeite om haar te herkennen. Haar melktanden hadden plaats gemaakt voor twee enorme tanden waarop elk konijn jaloers zou zijn.

'Sjonge,' sprak mijn vriendin-konijn. 'Je ziet er zo rijk uit. Wil je nog wel met me spelen?'

Ik gaf haar een stomp. We liepen ook wat te wapperen met onze handen, schudden met ons achterwerk en stikten van het lachen. Als Dorien lachte, hield ze een hand voor haar mond. In haar plaats had ik dat ook gedaan...

De glamour was van korte duur.

Mijn grootmoeder had geen ervaring met lamswol en kasjmier, en de chique truitjes waren als poppenkleren uit de wasketel gekomen. In de kookwas was een blauwe sok van mijn grootvader gesukkeld en de bloesjes en het hagelwitte ondergoed waren grauw geworden. Ik groeide uit de rokken en de kruisen van de kousenbroeken hingen na enkele maanden als een vangnet boven mijn knieën.

De wapperhanden van Veronique en haar kompanen herleefden. Metje moest dringend een nieuwe doos binnenhalen, maar dat feest ging niet door.

Madame Agnes was gevallen en had haar heup gebroken en de buurman had al die tijd haar tuin onderhouden. Er werd met geen woord meer gerept over het gemaaide gras dat hij in het sparrenbosje kiepte. Metje zag de dozen met kleren aan haar neus voorbijgaan en ik dus ook.

Terug naar af.

Gedrag, orde en netheid kostten mij veel punten en daardoor greep ik dat jaar naast het prijsboek dat onberispelijke Veronique met een grijns van triomf in ontvangst nam.

Dus ik las en herlas *Onder moeders vleugels* en kende elke bladzijde uit mijn hoofd, woord voor woord.

Er was een nieuwe liefde: *Fabian Van Fallada*, een serie op televisie, elke woensdagmiddag, over een luitenant in het garnizoen die vogelvrij was verklaard.

An, een rijk meisje, was verliefd op hem en wilde hem helpen en kreeg daarbij de hulp van haar grootmoeder, een lieve toverheks die op een zolderkamer een toverspiegel had en in een nis een popje, Knudde, dat ze levend kon toveren. Knudde ging dan op pad om zaken uit te vissen. Niet alleen het leger maar ook de Weerwolf en zijn bende hadden het op de luitenant gemunt.

Ik telde de dagen af tot het woensdag was en de eerste klanken van het openingslied vielen.

Met tranende ogen keek ik naar Fabian. Niet dat ik er droevig van werd, maar ik zat dicht bij het scherm zodat ik meteen kon ingrijpen als het beeld trilde of er sneeuw kwam.

Mijn schriften waren iets dunner dan die van mijn klasgenoten want ik ritste er vellen uit en schreef ze vol tot de knoken van mijn vingers verkrampten.

Ik nestelde me in de pennenwerelden die ik verzon. Er vloeide een lieve lerares uit mijn pen die Veronique verfoeide en mij op handen droeg. Ik flaneerde in ritselende jurken net als An van Fabian Van Fallada en leerde piano spelen in een kamer vol boeken. Ik was een kwajongen die in een hut bij een rivier woonde, ver weg van de bewoonde wereld en voerde eindeloze gesprekken met een paar groene kikkers, want de kwaaktaal had geen geheimen voor me.

De echte wereld was anders. Het geschimp op school luwde niet.

Veronique had een hit van het Marina-lied gemaakt. Het gonsde over het schoolplein, vooral wanneer er meer punten onder mijn sommen of schrijfsels stonden dan bij Veronique.

Het was slimmer om een paar fouten te maken of een vraag niet te beantwoorden, leerde ik. Dat spaarde een hoop ellende. Stiekem werd ik groter, hoewel ik de kleinste van de klas bleef. Mijn kleren werden almaar kleiner. In te krappe kleren lijkt een mens groter.

Het volgende schooljaar stond juffrouw Godelieve voor onze klas. Ze was net als juffrouw Martha een volgeling van juffrouw Nelly.

Ze herinnerde Dorien en mij er om de haverklap aan dat we nullen waren.

Een grote nul en een kleine nul.

'Een grote of een kleine nul, maakt niet uit,' zei ik. 'Nul is niets.' En aan *niets* kon een mens zich toch niet ergeren, maakte ik de bedenking. 'Hoor je hoe achterlijk het klinkt, Dorien... Ik erger mij aan niets!'

Dorien knikte maar wat. Ze haatte cijfers, en nullen waren dat ook.

Het regende straffen bij juf Godelieve. Voor een inktvlek op mijn breiwerk, mijn ongekamde haar of als ik wegdroomde of brutaal was. Ze vond me zelfs onbeschoft als ik mijn mond hield.

Zo riep ze op een dag: 'Denk je misschien dat ik gek ben?' Ik was doodsbang en zei geen ja en ook geen nee.

En dan zij weer: 'Brutaal nest, wie denk je wel dat je bent? Vooruit, in de hoek met je gezicht naar de muur.'

In verhalen wegkruipen... Ik deed niets liever en juffrouw Godelieve hielp me daarbij. Ik moest ellenlange strafopstellen voor haar schrijven. De inhoud telde niet. Het ging om het aantal vellen en mijn schrijfsel werd ongelezen in de vuilnisemmer gegooid, al waren er echt mooie verhalen bij.

Ik was een eend. Het vet van mijn veren stootte het ijskoude water dat ze over me heen keilden, af. In het riet had ik een warm nest met uitkijk op de beek.

In het kabbelende water zag en hoorde ik de mooiste verhalen of ik verzon ze zelf en de gemene ratten aan de overkant liet ik niet toe in mijn hoofd.

Er was ook een domme gans, met vreemd genoeg, twee enorme tanden, waar ik het goed mee kon vinden.

De goede daad

Er volgden twee jaren met juffrouw Cécile die zo haar eigen manier had om met Marina Vuilpot en Dorien Appelmoeskop om te gaan. Ze bombardeerde ons tot een onbenullig verlengstuk van de kachel.

De eerste dag van het eerste schooljaar moesten we samen aan een lessenaar gaan zitten, achter de kachel waaruit een enorme buis naar het plafond liep.

Dorien en ik waren wat blij dat we samen mochten zitten, zo veel geluk was ons nog nooit gegund, en we dachten dat er betere tijden voor ons aanbraken. We moesten de hele tijd links en rechts van die stomme kachelbuis kijken om een glimp van het bord op te vangen of van wat er gebeurde in de klas. We hielden er soms een stijve nek aan over of knalden met onze hoofden tegen elkaar. Als we daar gestikt waren of een hartaanval hadden gekregen, zouden juffrouw Cécile en de rest van de klas dat niet eens hebben gemerkt.

Twee volle schooljaren met zicht op de achterkant van een kachel en een buis.

In dat tweede kacheljaar deed ik een goede daad.

Het was bitterkoud. De vrieskou beet in mijn oren en mijn

neus was vernikkeld. Veronique zat op de houten bank onder het glazen afdak met een paar vriendinnen. Dorien en ik stonden bij één van de gietijzeren pilaren die de gaanderij ophield. Dorien vertelde over haar vader die een tafeltje van smeedwerk voor haar moeders verjaardag had gemaakt, met druiven en bladeren van ijzer.

Ik luisterde met een half oor want mijn hoofd was bij Veronique. Tersluiks, met mijn haar voor mijn ogen, bespiedde ik haar. Van achter het blonde gordijn zag ik haar laarzen. Suède laarzen met aan de voorkant een rij gaatjes waardoor een veter stak en aan de bovenkant schapenwol die naar buiten krulde. Ze had ook een jas van konijnenbont met een kap waaraan pompons aan koordjes bengelden. De jas bedekte haar knieën. Veronique zag er haast lief uit in die kleren, als een beertje. Maar daarom keek ik niet.

Oh's en ah's vulden de lucht.

'Kijk, Fabian...'

'En oh, wat een mooie foto van An.'

Op haar konijnenschoot lag een boek van Fabian Van Fallada. Mijn grote held en ik wist niet eens dat er een boek van hem was. Mijn voeten begonnen een eigen leven te leiden en schuifelden zonder dat ik het wilde naar de bank.

'Wat doe je nu?' siste Dorien.

Veronique bladerde en ik zag een zwart-witfoto van Knudde in zijn nisje met Mammelies ernaast. De meisjes hadden me opgemerkt en vielen stil.

Veronique keek op. Ik dacht dat ze glimlachte en vond dat ze maar beter elke dag van die berenpakjes kon aantrekken. Ze werd er alleen maar aardiger van.

Het beertje haalde diep adem en brulde: 'Hoe durf je zonder mijn toestemming mee te kijken?'

Van schrik sprong ik achteruit. Haar stem donderde in mijn oren en haar mond pufte boze wolken in de ijslucht. Het beertje was een vuurspuwende draak geworden. De ogen van de vriendinnen knepen zich tot gemene spleetjes en ze wapperden zichzelf frisse lucht toe, keurig in de maat, alsof het nog niet koud genoeg was.

Juffrouw Nelly had toezicht en haastte zich naar de bank.

'Wat heeft dit te betekenen?'

Haar ogen bliksemden naar mij als een roofvogel. Ik voelde me een nietige muis. Een muis wiens bevroren neus van miserie ontdooide en begon te lopen. Ik had natuurlijk geen zakdoek bij me en wreef haastig met de mouw van mijn jas langs mijn neus.

'Nog steeds dezelfde viespeuk, zie ik.'

Ik hield mijn lippen op elkaar geperst, maar juffrouw Nelly verwachtte een antwoord.

'Is het niet?'

Gegniffel op de bank.

Het boek lag nog steeds geopend op de bladzijde met Mammelies.

Mammelies, tover juffrouw Nelly, Veronique en haar gevolg

weg, dacht ik. Je moet toch zeven goede daden per jaar verrichten om je toverkracht niet te verliezen. Deze verdwijntruc
is echt wel een goede daad.

'Wel, Marina?'

'Wat vreselijk onbeleefd van me,' stamelde ik onthutst. 'Het
spijt me.'

Mammelies had het verkeerd begrepen en toverde de draak
weer om in een beertje. Een beertje dat klikte en loog.

'Juffrouw Nelly, Marina valt ons lastig,' sprak het met een
honingstem. 'En ze wil mijn boek kapotmaken.'

'Leugenaar,' stamelde ik.

Juffrouw Nelly keek me met diepe minachting aan.

'Is het weer zover? Jaloers wicht! Ga op de rioolput staan! Je
handen op je hoofd. En gebruik voortaan een zakdoek.' Ze
wees naar mijn mouw en kokhalsde. 'Bah, je jas hangt vol
snot.'

'Bah!' ging het in koor op de bank.

Op dat moment klonk bij de rioolput een gekrijs dat door
merg en been ging. Een sprietig meisje van de eerste klas was
over het deksel gestruikeld. Juffrouw Nelly haastte zich naar
het huilende kind en ik droop af.

'Kss, kss, kss,' deed Veroniques mond. Alsof ik ongedierte was.
Mijn benen voelden ijskoud aan, want mijn jas was nog korter
met mijn handen op mijn hoofd. Dorien wandelde langs de
rioolput en siste stiekem dat Veronique een valse teef was.

Ik troostte mezelf met de gedachte dat ik een goede daad aan het verrichten was. Er konden geen kleintjes meer over het deksel van de rioolput struikelen als ik erop stond.

Ondertussen zag ik mezelf foto's uit het boek van Fabian Van Fallada rukken en er vliegtuigjes van maken die ik naar het gezicht van Veronique gooide. Ik kreeg vijf punten voor het raken van haar neus en tien als het vliegtuigje in een oog landde.

Jaloezie is
een boosaardig monster

De deur viel tergend langzaam in het slot en daar stond ik in het bureau van de directrice. Ze kwam vlak naast me staan. Ik voelde de warmte van haar adem.

'Denk maar eens goed hoe je je hieruit praat, Marina.'

Ik beefde van het hoogste punt van mijn hoofd tot in de toppen van mijn tenen. Dit was te gek om los te lopen. Ik moest me eruit praten en ik had niets misdaan.

'Ik... Ik kan u niet volgen, mevrouw,' pruttelde ik zacht.

'Dat klinkt niet overtuigend, Marina.'

In het bureau van de directrice stond een kachel met vier kleine ruiten en daarachter een rode gloed die ik in de klas nooit te zien kreeg omdat ik aan de achterkant zat. De directrice liep ernaartoe, hield haar handen ervoor en wreef ze over elkaar.

'Juffrouw Nelly vertelde me dat je wel heel erg in dat boek was geïnteresseerd. Hoe heet het ook alweer? Fabian... Fabian...'

Ze zwaaide met haar handen de woorden uit mijn mond.

'Fabian Van Fallada,' piepte ik.

'Fabian Van Fallada. Zie je wel... Je kent het boek blijkbaar zeer goed.'

Het klonk of ik een bekentenis had afgelegd.

'Je bent al jaren heel erg jaloers op Veronique. Waarom?'

'Hoezo?' flapte ik eruit.

'Nog onbeleefd ook? Hoezo wie? Wie?'

Ze maakte haar oor een stuk groter door er één van haar handen achter te houden.

'Hoezo, mevrouw de directrice?' riep ik naar het reuzenoor.

'Waarom ben jij zo jaloers?' vroeg ze.

Ik ploegde mijn hoofd om naar een antwoord, maar dat was niet nodig want de directrice vuurde er een paar af, helemaal gratis.

'Omdat Veronique mooiere kleren heeft dan jij, Marina? Of omdat ze betere punten haalt?' Haar stem klonk almaar heter en kwam als kokende olie in mijn nek aan.

Ik voelde mijn hoofd zakken.

Nee, echt niet, u vergist zich, wilde ik roepen maar een onzichtbare hand had zich als een tang op mijn keel gezet.

'Omdat zij van haar ouders een mooi boek gekregen heeft en jij niet, Marina? Omdat haar ouders deftige mensen zijn en die van jou...' De directrice kuchte en pakte de pook van de schoorsteenmantel. Ze stak de punt in een gat bovenaan de kachel en schoof het deksel opzij. Met veel kabaal liet ze kolen in de kachelpot rollen. Ze schoof het deksel weer voor het gat en koterde aan een schuifje. De kolen rammelden, vatten vuur en spetterden. Met de pook in haar handen keek ze naar het plafond.

'Omdat haar ouders deftige mensen zijn en die van jou... anders zijn?' Ze glimlachte omdat ze het juiste woord had gevonden: anders.

Ze kwam weer voor me staan en zwaaide met de pook rakelings langs mijn hoofd. De lucht die ze daarmee verplaatste maakte een zacht fluitend geluid bij mijn oren.

'Jaloezie is een boosaardig monster en drijft mensen tot misdaden,' dreunde haar stem.

Ik richtte mijn hoofd een beetje op en wilde zeggen dat ik het echt niet gedaan had. Dat ik er wel even aan had gedacht op de rioolput. Dat Veronique me zelfs geen glimp van het Fabianboek gunde terwijl hij één van mijn grote helden was, misschien wel de grootste. En dat ook mijn ijskoude knieën me parten speelden en me kribbig maakten, maar ik bedacht me en zei niets. Ze zou me toch niet geloven. Zo ging het al jaren. Jij zielenpoot, fluisterde ik in mijn eigen oor. Jij klein crapuul, miserabel verlengstukje van de kachel...

Mijn onderlip trilde. Toen bibberde ook mijn bovenlip en ik dacht: oh nee, nu ga ik toch ook niet huilen? Maar de tranen sprongen me al in de ogen.

'Ja, spijt komt altijd te laat,' beet de directrice terwijl ze de pook weer aan de spijker aan de schoorsteenmantel hing.

'Je valt me zo tegen, Marina. Geen wonder dat alle juffrouwen en alle meisjes van de klas een hekel aan je hebben. Je bent een verloren brood. Het loopt helemaal verkeerd met je af. Ik denk dat je maar beter een paar dagen thuis kunt blijven. Je wordt geschorst.

Zweren op Pokkie

Mijn grootouders bleven maar naar me kijken.

Het verloren brood krabbelde aan een oor en blies een belletje van speeksel. Mijn grootmoeder verbrak de stilte.

'Dus je hebt het echt niet gedaan?' vroeg ze.

Mijn grootvader zuchtte.

'Dat zei Marina toch,' zei hij geërgerd. 'Ze wilde alleen maar naar dat boek kijken van Fabian Van... Hoe heet hij ook alweer?'

'Van Fallada,' hielp ik mijn grootvader.

'Van Fallada,' papegaaide hij. 'Omdat ze het zo prachtig vond. Zweer het, kind, zodat je grootmoeder je ook gelooft.'

Mijn grootmoeder was ontstemd. Ik zag het blauwe slangetje in haar nek opduiken en zwellen.

'Hoezo, zweer het? Op wie? Op God? Op Maria?'

Die namen maakten mijn grootvader altijd hondsdol en joegen hem nu ook de kast op.

'Op Pokkie!' brulde mijn grootvader. 'Op Pokkie, godverdomme, die Marina al haar hele leven kent.'

Pokkie hoorde haar naam vallen en sleepte zich van haar jute zak. Ze werd oud, haar snoet werd grijzer, maar ze leek het goed te vinden dat er op haar werd gezworen. Ze kwispelde en legde haar kop op mijn grootvaders knie.

Ik beet heel hard in mijn wijs- en middenvinger, toonde de twee tanden die erin stonden en zwoer plechtig dat Pokkie die ik mijn hele leven al kende en die mijn allerliefste hond was meteen mocht doodvallen als ik loog en mijn ouders ook.

Mijn grootvader trok aan zijn rechteroor en keek mijn grootmoeder boos aan.

'Begrepen?' vroeg hij alsof mijn grootmoeder met zijn oren kon horen.

'Sterk,' mompelde mijn grootmoeder.

Pokkie ging weer liggen en snurkte dat haar jute zak wapperde. Zij was duidelijk heel erg levend en 's avonds kwamen mijn ouders en ze kwebbelden en taterden zoals geen enkel lijk dat kon.

De volgende dag, net voor schooltijd, kwam mijn grootmoeder hijgend de trap oplopen.

'Marina, opstaan! Je moet naar school!' riep ze kortademig.

'Ik moet drie dagen thuis blijven,' mummelde ik, warm opgerold in mijn deken.

'Toch niet,' zei mijn grootmoeder. 'Er zat een brief in de bus vanochtend. De dader heeft bekend.'

'De dader?'

Ik ging rechtop zitten en wreef de slaap uit mijn ogen.

Op de ramen stonden ijsbloemen en mijn mond pufte locomotiefwolkjes.

'Wie is de dader?'

Mijn grootmoeder had zich gewapend tegen de kou om de kippen te voeren en hun nesten leeg te halen. Over haar jurk had ze een dikke trui aangetrokken en de handgebreide kousen van mijn grootvader slobberden halverwege haar kuiten. Op de huid van haar benen wolkten rode en paarse vlekken. Ik trok de deken tot aan mijn kin.

'Dat staat niet in de brief, kind. Je hebt nog tien minuten.'

Ik wipte mijn bed uit. Het linoleum voelde ijskoud aan. Mijn tenen krulden ervan en ik probeerde het kippenvel van mijn armen te wrijven. In mijn haast om aan de kou te ontsnappen trok ik een loszittende knoop van mijn pyjama die op de grond rolde.

'Dju,' vloekte ik terwijl ik de knoop opraapte.

'Laat dju maar aan je grootvader over,' zei mijn grootmoeder. 'Eén in huis die de sterren van de hemel vloekt, is meer dan genoeg. Geketter hoor ik niet graag uit een kindermond komen. Maar goed... Die knoop naai ik er wel weer aan.'

Ik sprong in mijn broek, trok een trui over mijn hoofd en hobbelde klappertandend de trap af.

Ik moet mijn mond
leren houden

Juffrouw Cécile repte er met geen woord over dat ik te laat was. De stoel van Dorien was leeg. Ze zag me er onthutst naar kijken.

'Je vriendin komt drie dagen niet naar school,' zei ze. 'Zij is de dader. Soort zoekt soort, zou ik zo zeggen. Ga maar vlug zitten!'

Dat laatste klonk als een bevel en ik haastte me naar mijn stoel en verdween achter de kachel. Dorien had het boek van Fabian Van Fallada vernield? Het leek wel of onze hoofden met onzichtbare draden verbonden waren geweest en zij had opgevangen wat ik dacht op de rioolput. Ze had het natuurlijk voor mij gedaan.

Schuldgevoelens kwamen als boze spinnen in mijn nek gekropen. Toen leek het alsof iemand een touwtje aan mijn vinger bond en omhoog trok. Ik ging helemaal links van de buis zitten en stak een voorzichtige vinger op.

Juffrouw Cécile deed eerst alsof ze de vinger niet zag, maar toen die omhoog bleef, zuchtte ze geërgerd.

'Wat nu weer?' snauwde ze. Alsof ik al de hele ochtend de oren van haar hoofd had gezeurd.

'Ik denk... Ik denk... dat Dorien dit voor mij heeft gedaan,' hoorde ik mezelf zeggen. 'Het is mijn schuld dat...'

Veronique en haar kompanen stootten elkaar aan en er klonk geroezemoes.

'Stilte!' schreeuwde juffrouw Cécile.

Er viel een ijzige stilte die naar alle hoeken van de klas kroop. Ze gooide haar hoofd in haar nek en hield haar handen in haar heupen als een marktkraamster.

'Hoezo, jouw schuld? Heb je haar gevraagd om dat boek om zeep te helpen?'

Ik schudde het hoofd. 'Nee, juffrouw, maar...'

'Heb je erbij geholpen?'

'Nee, juffrouw, maar...'

'Wel dan? Wil je de heldin uithangen en een medaille winnen voor moed en zelfopoffering? Wil je mij ontroeren met de ongelooflijke vriendschap tussen jou en Dorien Appelmoeskop? Zal ik alvast een zakdoek nemen?'

Juffrouw Cécile had me anderhalf schooljaar doodgezwegen, maar voelde zich blijkbaar ook lekker als ze me kon vernederen.

Ik sloeg mijn ogen neer. 'Nee, juffrouw.'

De marktkraamster was weer juffrouw Cécile geworden die met grote stappen tot bij de kachel kwam.

'Het moet uit zijn met de klas op stelten te zetten. Begrepen? Of je mag het bij de directrice gaan uitleggen.'

Ze stond zo dichtbij. Haar neus raakte bijna die van mij. Van pure ellende kreeg ik overal jeuk, maar ik vertikte het om te krabben want ze zou natuurlijk vragen of ik luizen of vlooien had en dan zouden Veronique en haar vriendinnen weer een reden hebben om te smoezen.

'Honderd regels, Marina: Ik moet mijn mond leren houden. Begin er maar meteen aan.'

Ik dook in mijn bank naar papier. Achter de klep haalde ik diep adem. Het greep me aan dat Dorien dat voor mij had gedaan.

Het was niet de gewoonte dat we naar elkaars huis gingen, we hadden dat eigenlijk nog nooit gedaan, maar ik zou aan mijn grootmoeder vragen of ik er vanavond mocht langsgaan. Ik wilde Dorien helpen met straf schrijven want juffrouw Cécile en de directrice zouden niet mals zijn geweest. Dat waren ze nooit voor Marina Vuilpot en Dorien Appelmoeskop.

Ik moet mijn mond leren houden, kraste mijn pen achter de kachel.

Straf

De deur zwaaide open.

Doriens moeder had hetzelfde ronde gezicht als Dorien, donkere ogen en een mond die openhing omdat ook haar twee voortanden groot waren en fel naar voren stonden. Er zaten zachtgele en babyroze rollers op haar hoofd met daarover een lichtblauw netje. Tussen haar vingers zat een sigaret en ze trok eraan en blies een rookwolk de vrieslucht in.

'Marina, zeker?'

Ik knikte.

Ze liep naar binnen en liet de deur op een kier. Haar achterwerk was echt wel weelderig. De rook die ze achterliet, loste op, alleen de geur van sigaretten bleef achter. Ik sprong van het ene been op het andere zodat mijn voeten niet aan de straatstenen vastvroren en blies mijn vingers warm.

Dorien mocht mij maar heel even zien.

'Hé, hé,' zei ik met een tril van de kou in mijn stem. 'Je kunt er wat van. Haar hele Fabian-boek aan flarden.'

Ze haalde de schouders op. 'Ze vroeg erom.'

In mijn hoofd speelden zich grote afrekeningen af, maar daar bleef het ook bij. Dorien Appelmoeskop had gedaan waar ik, bange haas, alleen maar van kon dromen.

'Sterk,' mompelde ik. 'Zijn je ouders boos?'

Dorien draaide met haar ogen.

'Wat denk je? De directrice noemde mij een verloren brood en zei dat het helemaal verkeerd zou aflopen met mij.'

'Dat zei ze van mij ook. Dat zijn dan twee verloren broden,' lachte ik.

De kou priemde door mijn jas en ik sloeg mezelf warm. Mijn neus leek een ijsblokje en hij liep. Ik viste een zakdoek uit mijn broekzak.

'Koud, hè,' zei Dorien en ze trok haar kraag dicht.

'Moet je veel straf schrijven?' vroeg ik.

Ze zuchtte diep en lang. 'Duizend regels: Ik mag geen boeken van mijn klasgenoten vernielen.'

'Godverdomme!' siste ik. 'Dat is misdadig.' Goed dat mijn grootmoeder mij niet kon horen.

'Godverdomme, zeg dat wel,' zei Dorien.

Mijn wijsvinger tikte als een dolgedraaid hamertje op mijn voorhoofd.

'Ze zijn stapelgek.'

'Zeg dat maar aan juffrouw Cécile en de directrice,' zei Dorien.

'Zal ik je helpen?'

Dorien keek me glazig aan.

'Helpen? Hoezo? Waarom zou je dat doen?'

'Omdat je mijn vriendin bent, suffert.'

'Juist,' mompelde ze. 'Ik moet nog driehonderd regels.'

'Komt voor de bakker,' zei ik heldhaftig.

'Wat fijn! Ik voel mijn hand niet meer.' Om het te bewijzen stak ze haar verkrampte hand omhoog en liet haar vingers als een kreupel insect bewegen.

'Zeg, moeten je ouders morgenmiddag werken?'

Dorien knikte.

In mijn hoofd groeide een plan, of nee, het kwam erin gevlogen. Ik weet niet waar ik het vandaan haalde.

'Mijn grootouders zijn er ook niet en we hebben geen school. Misschien kunnen we samen naar de stad?'

Ik was nog nooit in mijn eentje naar de stad geweest.

'Ik wil wel, maar mijn straf moet af,' zuchtte Dorien.

'Ik help je toch.'

Dorien lachte haar konijnentanden bloot en sloeg, zoals altijd, meteen haar hand voor haar mond.

'Ik ga mee,' besloot ze. 'En ik zal jou eens verrassen.'

Ik brandde van nieuwsgierigheid en wilde haar uitvragen, maar voor ik daaraan kon beginnen, riep Doriens moeder dat ze naar binnen moest komen.

'Tot morgen,' zei Dorien. 'Kom je meteen na school naar hier?'

Ik knikte en sprong op mijn fiets. Ik hoefde geen zakdoek meer. De snottebel aan mijn neus was een ijspegel geworden.

Met versteven handen maakte ik mijn straf. Langzaam kleurden mijn vingers van vaalwit naar roze en toen waren ze helemaal opgewarmd voor de driehonderd regels van Dorien.

Herbie en een fikkende pony

Er waren eens twee verloren broden. Ze liepen door de stad.
Het witte brood met honderd keer 'ik moet mijn mond houden in de klas' en driehonderd regels 'ik mag geen boeken van
klasgenoten vernielen' in de vingers. Het bruine brood met ze-
venhonderd regels achter de kiezen.

Het vele pennen had ons dronken gemaakt, net of we een slokje likeur van Metje hadden gekregen en het koude weer maakte ons beweeglijk. Schouder aan schouder stormden we door
de straten. We liepen elkaar voor de voeten, we trapten op elkaars hielen, sprongen opzij voor mensen en stompten elkaar.
We knepen in elkaars armen en billen, want het brooddeeg
moest worden gekneed.

Toen staken we de straat over en het bruine brood trapte in
een paardenvijg en keek alsof het veel te lang in de oven had
gezeten.

Het witte brood kwam niet meer bij, verlamde van het lachen
en kon geen stap meer zetten. Het bruine brood gaf het witte
een por om het tot bedaren te brengen en toen landde dat ook
in die paardenvijg. Twee verloren broden met schoenen vol
paardenmest, gierend in het midden van de weg.

Er stak een deftige heer met wandelstok de straat over. Hij foe-

terde en riep knorrig: 'Die jeugd van tegenwoordig...'
We probeerden onze lach te smoren door handen op elkaars monden te leggen en op de binnenkanten van onze wangen te bijten, want deftige heren uitlachen was onbeleefd.

Het lukte maar heel even en toen proestte het witte brood het uit en het bruine kon het ook niet meer houden. Het proesten ontaardde in geschater, het geschater in gebulder. Het gebulder drukte heel hard op onze blaas en toen kwam er een auto aangereden. Met mijn handen tussen mijn benen geklemd en Dorien met een hand tussen haar benen en één voor haar mond, vluchtten we weg.

In een park veegden we de paardenmest van onze voeten op een stukje gras. Toen alle sporen verdwenen waren, keek Dorien op haar horloge en beende ervandoor. Ik holde achter haar aan.

'Waarom ren je zo?'

'De verrassing!'

Ik was zo in de ban van onze uitstap dat ik die verrassing helemaal vergeten was. Dorien stopte voor een oud statig gebouw.

Ik vergaapte me aan de prachtige affiches in de glazen kasten en nog meer aan de dame in het loket. Op haar hoofd zat een dot ter grootte van een pompelmoes die zo stijf stond van de lak dat er geen haartje bewoog, ook niet toen de deur van het loket openging en de blaadjes van de kalender achter haar wapperden. Haar lippen waren al even knaloranje als haar jasje en de nopjes op haar sjaal. Boven haar ogen zaten dikke strepen eyeliner.

Mijn moeder had die ook, maar ze waren vaak schots en scheef. Die van de pompelmoesdame waren mooi recht en eindigden in sierlijke krulletjes en ze had wimpers die haar wenkbrauwen raakten. De oranje kleren waren opzichtig, maar het paste allemaal mooi bij elkaar.

Mijn moeder had bergen foute kleren en foute make-up. Oranje lipstick met een lichtblauw truitje of een groene rok bij rode schoenen. 'Mooi, hè?' vroeg ze dan en ik knikte.

Deze dame leek wel een filmster die uit één van de affiches was gesprongen.

Dorien toverde twee kaartjes uit haar jaszak.

'Waar heb je die vandaan?' stamelde ik.

Ze grijnsde met een hand voor haar mond.

'Mijn grootmoeder,' zei ze. 'Ze maakt schoon bij de baas van de bioscoop.'

Ik kreeg bijna geen adem van opwinding. 'Aha,' kon ik alleen maar zeggen.

De dame wees met haar enorme, fel gelakte vingernagels naar een glazen deur met koperen knop.

Ik was nog nooit in een bioscoop geweest. Als een opwindaapje huppelde ik achter Dorien aan. Een meisje in uniform bekeek onze kaartjes en liep voor ons uit. Haar achterwerk zat in een knellende blauwe rok gevangen en wiegde heen en weer. We liepen over een eindeloos rood tapijt naar een dubbele deur die bekleed was met kussentjes van skai. Achter die deur was een gang met een wand waarover we niet konden kijken, maar waarachter geheimzinnig geroezemoes klonk dat verstomde toen het licht uitging. De wiegende kont knipte een zaklamp aan en een dansend lichtje loodste ons door een donkere zaal naar onze stoelen.

Er was alleen nog gefluister en geritsel van snoepzakjes te horen. Net toen we gingen zitten, schoof het enorme doek knarsend open en barstte er muziek los.

Ik schrok me een ongeluk, greep Doriens arm beet en kneep erin. Op dat moment nam de harde muziek een duik naar zachte accordeonmuziek en op het witte scherm verscheen de titel.

'Au!' gilde Dorien zo hard dat de hele zaal het kon horen.

'Sttt!' echode het door de zaal.

De verloren broden zwegen en keken strak voor zich uit. Er stegen kringetjes en wolken van sigarettenrook op.

Ik hoopte op een jankfilm met zoenen, maar het was een film voor alle leeftijden over een witte auto, Herbie. Herbie was een dolgedraaide kever die van de schroothoop moest worden gered en races won van heuse sportwagens.

Het werd toch een jankfilm, want het kranige autootje werkte op onze lachspieren tot er tranen over onze wangen rolden.

Halverwege de film hoorde ik het asbakje in de leuning van de stoel naast me openklappen. In de koplampen van Herbie zag ik Dorien een sigaret opsteken.

'Wat doe jij nu?' perste ik uit mijn keel.

Er plofte een sigaret op mijn schoot.

'Paf er ook eentje.'

Ik gaapte Dorien aan. Mijn vriendin was onvoorspelbaar geworden. Ze spuwde wolken groter dan Herbie wanneer die ervandoor sputterde. Ik wist helemaal niet of ik een sigaret wilde roken. Het leek erop dat we nu echt verloren broden waren. Roken op je elfde... De sigaret op mijn schoot lag daar te liggen.

'Flauwe trien,' siste Dorien.

Een flauwe trien wilde ik niet zijn en met trillende vingers stak ik de sigaret voorzichtig tussen mijn lippen. Mijn hart hamerde jachtig. Nog voor ik me kon bedenken, hield Dorien een lucifervlam voor me op.

Ik trok me geschrokken terug.

'Je zet mijn neus in de fik,' foeterde ik.

Het vlammetje zweefde naar de sigaret.

'Zuigen,' beval Dorien.

Ik zoog een gloeiende punt aan de sigaret. Rook vulde mijn mond en drong in mijn keel. Mijn hoofd zwol als een ballon en ik had het gevoel dat ik ging stikken.

'Blazen,' siste Dorien.

Ik blies en hapte even later opgelucht naar adem. De eerste trek aan een sigaret had ik overleefd.

'Zuigen en blazen. Zo simpel is het.'

Ik raakte tureluurs van al dat blazen en zuigen. Zo simpel was het niet. Toen ik de sigaret na een paar trekken weer naar de mond bracht, raakte de roodgloeiende punt van de sigaret een pluk haar. Mijn pony verschrompelde vliegensvlug en verspreidde een brandlucht. Paniekerig mepte ik op mijn voorhoofd.

Dorien proestte het uit.

Er volgde geen 'ssst' uit de zaal. Iedereen lachte, want Herbie had net een boef in de modder gejaagd.

Verbijsterd doodde ik de sigaret in het asbakje en voelde aan mijn pony. Aan één kant zaten alleen nog dorre en rafelige sprieten. Tot overmaat van ramp begon mijn buik te borrelen. Die rotsigaret had niet alleen mijn haar verschroeid, maar deed mijn darmen tilt slaan. Ik kreeg meteen spijt dat ik geen flauwe trien was.

Toen Herbie gelauwerd werd en er luid applaus klonk, zat ik op de wc.

Na de film renden we naar de Bon Marché. Geld voor een kapper had ik niet en ik kon moeilijk naar huis met een verschroeide pony.

Op de afdeling parfumerie pakte ik stiekem een schaar van een rek. Terwijl Dorien op de uitkijk stond, knipte ik alle rafels uit mijn haar. Toen alle brandsporen waren weggeknipt, had ik een pony die niet eens halverwege mijn voorhoofd hing.

'Het groeit wel bij,' troostte Dorien.

Fabian, bloedworst
en vette darmen

Ik was net op tijd thuis.

Mijn grootmoeder vond de korte pony netter dan het haar in mijn ogen. Maar zij vond alles geweldig aan me. Zelfs met een kale knikker zou ze me een schoonheid vinden.

Mijn grootvader kwam van zijn werk en gooide zijn brommersleutels op de schoorsteenmantel.

'Ah, de haren geknipt?'

Ik knikte.

'Niet mis.'

Er stond een pan met bloedworst op tafel en een bord dampende vette darmen[1]. Er stond gelukkig ook een pot met appelsiroop die we karrenvet noemden. Uit het bord vette darmen steeg een stank op die mijn grootmoeder zelfs met uien en azijn niet had kunnen verdoezelen.

Ze hield een rond wit brood tegen haar schort, sneed er boterhammen van en smeerde smout op het brood van mijn grootvader en boter op dat van ons.

'Is het gelukt?' vroeg ze.

Mijn grootvader klopte op zijn tas die er boller uitzag dan anders. Naast zijn drinkbus en boterhammendoos zat nog iets.

---

[1] Vette darmen zijn gekookte en daarna krokant gebakken varkensdarmen. Het gerecht wordt vooral in West-Vlaanderen gegeten.

'Marina, mijn duiven hebben het afgelopen seizoen goed gevlogen. Ik had een centje over, dus...' Hij viste een pakje uit zijn
tas en gooide het op tafel naast de pan met bloedworst en het
bord met vette darmen.

Ik keek naar het bruine pakpapier.

'Voor mij?' vroeg ik.

'Voor wie anders?' Mijn grootmoeder lachte haar tandvlees
bloot.

Ik scheurde het pakje haastig open en sloeg mijn handen voor
mijn mond. Uit het papier gleden twee boeken van Fabian Van
Fallada.

'Twee?' riep mijn grootmoeder verbaasd.

Mijn grootvader knikte. 'Deel één en deel twee. Dan heeft Marina het hele verhaal. Een mens kan niet op één poot lopen. Ik
ook niet.' Hij grinnikte en haalde twee pilsjes uit de kelder.

De omslagen waren gelijk, maar op het ene boek stond in een
zwart cirkeltje een één en op het andere een twee. Fabian hield
een sabel vast en An stond dromerig naast hem. Knudde reed
op een ezel op de achtergrond... Jean, een edelman die ook de
Weerwolf was, stond vooraan.

Alle avonturen van Fabian en prachtige foto's van mijn held,
helemaal van mij. Het werd me te veel en ik veerde overeind
om mijn grootouders een paar klinkende zoenen te geven.

'Toe nou, Marina,' zei mijn grootmoeder terwijl ze de korsten
van haar brood sneed omdat ze die niet kon knabbelen zonder
tanden.

Mijn grootvader moest heel lang zijn neus snuiten en ook naast de boterpot drupte een traan.

'Aan elkaars muil likken is niets voor ons,' snifte mijn grootmoeder.

'Dat is voor het rijk volk,' bromde mijn grootvader. 'Die doen niks anders. Kusje links. Kusje rechts. Bonjour. Bonsoir.'

Hij zoende zijn bierflesje.

'Onnozelaar,' riep mijn grootmoeder, maar het klonk meer als 'lieve kerel van me'.

In diezelfde winter kwam Dorien voor het eerst bij mij op bezoek. Het rijhuis waar zij woonde was een toonbeeld van netheid.

De stulp van mijn grootouders was een nest; een puinhoop waar altijd een verdachte geur hing. Ik was het gewend, maar toen ik er door de ogen van Dorien naar keek, besloot ik er iets aan te doen.

Ik zette alle rondslingerende schoenen, pantoffels en laarzen in de kelder. Kleren die op stoelen en tafel dwarrelden, hing ik aan de kapstok. Het verwonderde me dat de kapstok het onder de klerenberg niet begaf, maar de spijkers hielden het. De stoelen schoof ik keurig onder de tafel, oude kranten gooide ik in een doos en ik stapelde de kratten met brandhout op elkaar. De krappe woonkamer was op slag een stuk groter. Ik klopte het stof uit de jutezak van Pokkie en sprenkelde er reukwater op. Ook op Pokkies rug druppelde ik wat eau de cologne. Ze snuffelde ellendig aan haar vacht en krabde aan de zak, zoekend naar de stank die ze gewoon was.

Kwistig strooide ik de prut uit de koffiezak waarmee mijn grootmoeder 's ochtends koffie had gezet over de vloer uit. Dat vermengde zich met het stof en met een bezem veegde ik de hele rimram naar buiten. De prut had de grijze vloertegels donkerder gekleurd en in de kamer overheerste de geur van eau de cologne en koffie.

Ik vulde de gloeiende kachel tot aan de rand en in geen tijd snorde er warmte en gezelligheid in de kamer.

Pokkie had zich ondertussen met de nieuwe geur verzoend en ging gedwee op de geparfumeerde jutezak liggen. Ik sopte het tafelzeil en streek in het midden van de tafel een keukenhanddoek glad (zonder gaten – niet gemakkelijk om die te vinden). Het leek wel een kleedje en ik stalde er een pak koekjes op uit, de meest gave die ik in de kast kon vinden, en een asbak.

In de keuken zette ik een pan met melk op het gasvuur en brak er een reep chocolade in. Ik bleef ernaar kijken tot het kookte en er bruine bellen opborrelden en roerde er een flinke eetlepel suiker in.

Het huis was net, de chocolademelk heet en ik wipte van het ene been op het andere van ongeduld. Dorien mocht wel gaan komen.

Net toen ik dat dacht, belde ze aan en ik voelde mij de vrouw van de reclameborden met de grote glimlach en het spierwitte, stijf gesteven schortje die het juiste waspoeder gebruikt, de

juiste pudding serveert, de juiste bouillonblokjes in de soep
gooit en de juiste chocolademelk kookt.

Ik had me uren uitgesloofd en het resultaat was verbluffend.

Dorien keek om zich heen.

'Helemaal niet zo rommelig als je zei, Marina.'

Zelfs de natuur had mij een handje geholpen. Op de partijen
oudroest en rondslingerende planken in de achtertuin lag een
dun laagje sneeuw waarover de ondergaande zon wat later een
koperachtige gloed legde. Het schots en scheve kippenhok was
een nostalgisch winterhutje geworden. Sneeuw tovert schroot
om in een wit kunstwerk en maakt van de grootste puinhoop
een stil en vredig landschap.

Met dat mooie uitzicht aan de ene kant en de voorkant van de
kachel aan de andere kant, dronken Dorien en ik warme chocolademelk en knabbelden koekjes. Dorien rookte één sigaret-
je en geen kat zou daar iets van merken want de geur van een
halve fles eau de cologne en een bomvolle zak koffieprut overheersten haar rookpluimen.

De Vliegende Hollander

Haar rug was kaarsrecht. Haar ogen hadden de kleur van hazelnoot. Ze had een gave huid, een scherpe mooie neus en haar haar was opgestoken. Op de eerste dag van het schooljaar had juffrouw Gaby een kameelkleurig truitje aan en een linnen broek. Om haar hals hing een snoer van parels. Het zag er allemaal helemaal juist uit.

De andere leraressen wierpen steelse blikken als ze in de buurt kwam, trokken haastig een lange bloes over hun achterwerk of rolden een kraag op om hun dubbele kin weg te moffelen. Hun nieuwe collega stond op een hogere plank dan zij... Als er aangebrande moppen getapt werden in het café bij Mona, mocht ik naar haar woonkamer om naar haar postuurtjes te kijken. Ze stuurde me er ook naartoe als haar broers weer eens ruzie hadden en elkaar uitscholden of als mijn grootouders erg lang kaartten en ze dacht dat ik me verveelde.

Uren heb ik me aan Mona's vitrinekast vergaapt. Bovenaan stonden porseleinen en biscuit graven en gravinnen uitgestald. De gravinnen hadden wijde rokken met bloemen en nopjes en hielden kanten waaiers in hun handen. De mannen droegen pofbroeken met kleurige jassen en kanten kragen. Ze zaten op protserige stoeltjes, wuifden uit koetsen vol tierlantijnen en bespeelden piano's met een gouden klavier. Daaronder was een plank met boerinnen die schaapjes hoedden, kruiwagens met korenbloemen en papavers voor zich uitduwden en emmers ophaalden uit waterputten waarrond klimrozen slingerden.

Soms schoof ik stiekem de glazen raampjes open en zette een boerin bij de graven en de gravinnen neer. Of ik liet een gravin een kruiwagen duwen. In het kastje van Mona zou juffrouw Gaby bij de gravinnen staan en juffrouw Nelly, Martha, Godelieve en Cécile bij de boerinnen.

Alleen al daarvoor was ik meteen dol op juffrouw Gaby. Maar het liep ook meteen al fout...

Dorien en ik mochten op een bank zitten zoals alle andere meisjes, niet achter de kachel dus. De nieuwe juf had net schriften en leerboeken uitgedeeld en een kaartje. Daarop moesten we onze naam schrijven en het dan op onze lessenaar zetten, zodat ze onze namen kon leren.

'Ik ben juffrouw Gaby,' zei ze. 'Ik hoop dat we samen een mooi en leerrijk schooljaar tegemoet gaan. Ik hou van een fijne sfeer in de klas en ik vind boeken heel belangrijk. Daarom zetten we het schooljaar in met een verhaal.'

Ik zat meteen rechtop.

De omslag in haar handen was vergeeld en de tekening van het schip was een beetje vervaagd, net als de letters. Tussen de bladzijden die ze omsloeg, zaten kieren omdat het papier van ouderdom gebogen en kromgetrokken was en ze las: '*Ze had-*

den allemaal de ijskoude bries gevoeld op het moment dat het spookschip dwars door de schoener heenvoer.

"Het was een Hollander," mompelde de kapitein bleekjes. "Hij voerde de Hollandse vlag!"

"De Vliegende Hollander," zei iemand. En die naam ging van mond tot mond. Straks, thuis, zouden ze trots vertellen dat ze de Vliegende Hollander bijna aangeraakt hadden.'

Juffrouw Gaby had een radiostem: zoet, uitnodigend en zacht. Mijn hand gleed over het hout van mijn lessenaar, betastte de nerven en de krassen en ik voelde het verweerde en zwartgeblakerde scheepshout van de Vliegende Hollander.

'Weer verstreken er jaren. Oude schepen maakten hun laatste reis en nieuwe gingen onder feestgedruis voor het eerst te water. Alleen de Vliegende Hollander joeg eindeloos voort over de golven rond Kaap de Goede Hoop. De roekeloze kapitein had het tientallen jaren geleden over zichzelf en zijn bemanning uitgeroepen: "Al zou ik tot in eeuwigheid moeten doorvaren."'

Haar woorden vielen als een warm lappendeken over mijn schouders. Ik wilde dat ze bleef vertellen tot mijn knieën de onderkant van mijn lessenaar raakten en ik luisterend uit mijn schoolbank groeide.

'Misschien komt eens het moment van rust voor het ronddolende spookschip. Misschien is dat moment zelfs al aangebroken. De laatste tijd heeft niemand de Vliegende Hollander nog gezien en het is dus mogelijk, dat de hovaardige kapitein eindelijk tot inkeer is gekomen. Laten we het voor hem en zijn bemanning ho-

pen, want er bestaat geen grotere straf van de hemel dan eeuwig
voort te moeten jagen over de oeverloze zeeën en oceanen zonder
ooit ergens te mogen aanleggen.'

Haar smalle, verzorgde handen sloten het boek, namen de bril
van haar neus, vouwden de pootjes naar binnen en lieten de
bril in een fluwelen zakje verdwijnen.

Ik zag het in een waas terwijl ik in een sloepje te midden van
de oceaan dobberde, niet al te ver van Kaap de Goede Hoop,
en ik reikhalzend uitkeek naar een spookschip dat uit het niets
zou opduiken met aan boord versteende bemanningsleden.

De anderen hadden al lang hun schrift genomen toen ik nog
steeds vanuit mijn schuitje zoekend de horizon aftuurde.

'Marina, je schrift!'

Mijn bootje kapseisde en ik hield me stevig vast aan de klep
van mijn lessenaar.

De nieuwe lerares keek me meewarig aan en ik duwde haastig
mijn lessenaar omhoog om mijn schrift te zoeken. Daarbij
stootte mijn elleboog tegen de klep en die kwam met een smak
op mijn hoofd terecht. Een scherpe hoek van het metalen slot
doorboorde mijn hoofd. Pijn schoot van mijn kruin tot in
mijn oren en ik gilde het uit.

Veronique en haar kompanen stikten haast van het lachen.

Ik slikte tevergeefs tranen weg, maar er kwamen er almaar
meer. Ze prikten in mijn ogen en ze maakten van de klas een
mistig landschap. Ik voelde een natte warmte en mijn vingers
tastten langs mijn voorhoofd. Er hing bloed aan mijn hand.

'Zoek dekking! Ze jaagt de luizen uit haar hoofd.'

Veronique weer en ze had opnieuw bijval. Het venijn flakkerde op. Het complot had nog nooit zo zwaar doorgewogen.

Ik was weer dat eendje dat uitkeek over de kabbelende beek. De ratten waren dichterbij gekomen en trokken me de pluimen uit het lijf. Het ijskoude water op mijn blote vel maakte dat ik opeens doordraaide.

In mijn hoofd had ik Veronique al honderden keren mateloos verwenst en op papier had ik haar zelfs een paar keer vermoord, maar ik was vooral een bange haas geweest. Ik had in mijn leven ooit één heldendaad verricht: de roze yoghurt op de chique zwarte Mercedes.

In een stoffige hoek van mijn hoofd zag ik Dorien het boek van Fabian verscheuren, mijn grootmoeder met de riek naar de omheining vliegen...

Te ver gaan in ver gaan.

De naakte eend sprong overeind. Met opgespannen spieren schoot ik als een pijl naar de lessenaar van Veronique. De grijnslach om haar mond vervaagde, haar popperige ogen groeiden, haar mooie hoofd schudde langzaam heen en weer, haar tuitmondje vormde 'nee', de blos op haar wangen trok weg.

Langs mijn haarlijn sijpelde bloed. Bloed dat werd gewroken met meer bloed. Het stroomde uit haar neus terwijl mijn vuisten hard en genadeloos op haar gezicht hamerden. Ze hapte en kronkelde van ellende. Ze wilde terugslaan, maar de razernij die ik er al die jaren onder had gehouden was overweldigend. Weerloos zakte ze onder haar bank weg. Mijn handen achtervolgden haar en rukten hard aan haar haar. Ik, de kale eend, zou de kip plukken, in de oven schuiven, bruin bakken, papieren strikjes aan haar poten binden en op tafel zetten met kroketten en appelmoes. Appelmoes uit Doriens Appelmoeskop. Ik gaf haar nog een harde schop ter ere van Dorien.

Het was of alles langs me heen ging, alsof ik er zelf niet bij was. Iemand pakte mijn arm en sleurde me weg.

'Genoeg! Genoeg!'

Het was juffrouw Gaby.

De spieren van mijn armen en benen verslapten en mijn hoofd zakte weg. Mijn kin raakte even mijn borstbeen en ik kwam weer tot mezelf.

In een flits zag ik plukken van Veroniques haar als een spinnenweb verstrengeld om mijn bebloede handen en ik plukte ze er trillend af alsof ik bang was dat ze naar mijn keel zouden kruipen en me verstikken.

Juffrouw Gaby trok me naar een stoel bij de wasbak en duwde me zachtjes neer. Ze boog zich over mijn hoofd en haalde voorzichtig haar vingers door mijn haar om de wonde te bekijken.

'Het valt nog mee,' zei ze. 'Het hoeft niet gehecht te worden.' Ze pakte een handdoek, hield die onder de kraan, kneep het overtollige water eruit en drukte hem op de wonde. Ze duwde mijn handen onder de kraan om het bloed eraf te spoelen.

Daarna legde ze één van mijn handen op de handdoek.

'Drukken,' zei ze kordaat.

Toen ging ze Veronique halen en pootte haar op een stoel naast me. Zij kreeg een natte vod voor haar neus en ze snikte zonder ophouden.

Ik huilde niet meer, maar voelde mijn polsslag sneller en sneller kloppen. Het was of mijn hart door mijn lichaam raasde en overal waar het kwam wild tekeer ging. Het bonkte ook hard in mijn hoofd.

In de ijzeren wasbak, waar de vod en de spons van het bord werden uitgewassen, kleefde naast de krijtsporen ook bloed van Veronique en mij.

Met het gedreun in mijn hoofd wachtte ik tot ik naar de directrice zou worden gestuurd. Ze zou me genadeloos afmaken. Marina Vuilpot, die vieze rioolrat, had prinses Veronique op de eerste schooldag met een dierlijke schaamteloosheid toegetakeld. Ik zou voor eeuwig van school worden getrapt en deze keer met reden. Ik wilde dat de aarde sneller als een tol zou draaien en ik eraf zou worden geslingerd.

Juffrouw Gaby schreef een heus epistel in mijn agenda. Ze keek even naar Veronique die nog steeds zat te snotteren.

'Het is beter dat je stopt met huilen,' zei ze met een ijzige kalmte. 'Dan stelpt je bloedende neus beter.'

Haar pen bleef maar krassen. Dat heb je met mensen die van verhalen houden.

Het was niet fraai om lezen.

Bij de nieuwe leerkracht die ik zo geweldig vond en die zo mooi kon vertellen had ik het meteen verknald.

Mijn schoolagenda lag in het midden van de tafel naast een paar bierflesjes en een leeggezogen sinaasappel, opengeslagen bij het epistel.

'Marina, Marina,' hoorde ik mijn grootmoeder zeggen. 'Dat is helemaal niets voor jou, vechten. Je hebt die Veronique zomaar afgerost... Op de eerste schooldag... Hoe kon je nu zo uit je doen zijn?'

Mijn grootvader nam een flinke slok bier, veegde met de rug van zijn hand het schuim van zijn lippen en wreef een paar keer over de hals van het bierflesje.

'Zomaar, zomaar. Ben je doof misschien? Marina heeft het toch verteld,' bromde hij. 'Dat kind van de dokter kloot haar al jaren.'

Mijn grootmoeder kromp in elkaar.

'Let op je woorden,' zei ze.

Mijn grootvader zuchtte.

'Goed, goed,' paaide hij. 'Dat kind doet haar al jaren de duvel aan, dan. Waarom heb je ons dat nooit verteld, Marinaatje?'

Wat kon ik zeggen? Dat ik er erg spichtig uitzag, maar eigenlijk een eend was met heel veel vet en dikke veren die alles van me af liet stromen en dat ik me opsloot in de wereld van Fabian Van Fallada, Tarzan, Jo en Tiny.

Dat ik Dorien Appelmoeskop had, Metje, mijn ouders, Pokkie

en vooral hen, mijn grootouders en dat de rest een verhaal was van geschimp, vernedering en een stomme kachelbuis. Dat het mij allemaal nooit echt had geraakt, of dat ik dacht dat het me niet raakte. Maar dat ik vandaag door de kapitein van de Vliegende Hollander en het bloed aan mijn handen razend was geworden?

Mijn keel werd dik.

'Niet huilen. Daar kan ik niet tegen,' zei mijn grootmoeder.

Mijn grootvader deed er nog een schepje bovenop: 'Zeker niet janken voor een helleveeg die je al jaren kl...'

'Toch niet weer,' kermde mijn grootmoeder.

'Kleineert,' zei mijn grootvader. 'Dat wilde ik zeggen, verdomme.' Hij pakte de flesopener. Er rolde een nieuw kroonkurkje over tafel. Biertje nummer vier moest eraan geloven.

De ogen van mijn grootmoeder volgden het kroonkurkje en ontdekten een paar verdwaalde kruimels op tafel. Ze likte aan haar wijsvinger, pikte ze van het tafelblad en stak ze in haar mond. Haar handen zaten vol groeven en eelt en waren sinds kort bezaaid met ouderdomsvlekken. Er kronkelden dikke aders op. Eén van die afgeleefde handen legde ze op mijn hand.

'Lukt het om die straf te schrijven? Heb je niet te veel hoofdpijn?' vroeg ze.

Mijn grootvader goot in één geut de inhoud van het vierde flesje in zijn keel.

'Van mij hoeft Marina die straf niet te schrijven!' riep hij hard.

'Ik wil het graag,' zei ik zacht en ik pakte mijn schoolagenda. Ik bladerde naar de bladzijde met de ellenlange rode nota en schreef de opgegeven titel van mijn strafopstel over: *Hoe het zover is kunnen komen.*

Mijn hand kon mijn pen amper volgen. Ze spuwde het ene vel na het andere vol. In mijn buik doken krampen op alsof de eend het allemaal nog eens beleefde, naakt, zonder veren. Ik moest om de haverklap naar buiten rennen om op tijd het gat in de plank te halen, achter de deur met het hartje.
'Dat kind heeft de schijterij van miserie,' zei mijn grootvader. 'We houden haar thuis voor een paar dagen.'
De dagen dat ik thuisbleef, week Pokkie niet van mijn zijde. Ze was een oud vrouwtje geworden en legde haar grijze kop op mijn voeten terwijl ik schreef. Of ze ging trouw aan de wc-deur zitten wachten. Lieve oude Pokkie.
Mijn grootmoeder mocht van madame Lucienne heel even naar de school bellen en zei dat ik niet kon komen wegens buikpijn.
Zo werkte ik drie volle dagen aan mijn strafopstel. 's Vrijdags legde ik een pak volgeschreven vellen op de lessenaar van juf-frouw Gaby. Ze gooide ze niet meteen in de vuilnisemmer.
Tijdens de les hield ik angstvallig de deur in de gaten. Ik ver-wachtte de directrice voor een bolwassing en de aankondiging dat ze mij zou schorsen.
Dorien was er niet en ik drentelde alleen over het schoolplein.

Veronique en haar kompanen ontweken mij en het Marina-lied bleef uit, alsof het uit hun hoofd was gegumd. Ze voerden vast iets in hun schild en ik verwachtte na deze verdachte stilte veel storm.

Om vier uur rinkelde de schoolbel lang en schril. De lessenaars klepperden open en dicht, stoelpoten verschoven en er klonk getik van boekentasriemen die werden dichtgegespt.

'Jullie mogen gaan,' zei juffrouw Gaby. 'Fijn weekend. Marina, wil je even bij me komen?'

Ik verstijfde.

De anderen hadden de klas verlaten en op de achtergrond klonken alleen gefilterde stemmen en voetstappen op de trappen en in de gang. Schoorvoetend liep ik naar voren. Als een lam naar de slachtbank.

Juffrouw Gaby zwaaide met een hand voor mijn ogen.

'Hier ben ik.'

Ik keek voorzichtig op. In de spiegels van haar bruine ogen zag ik twee kleine evenbeelden van mezelf angstig opkijken.

'Ik heb tijdens de middagpauze je opstel gelezen,' zei ze, met een dodelijke zachtheid.

In mijn hoofd tuimelden gedachten lukraak door elkaar. Ze zou me natuurlijk vragen waarom ik al die grove leugens had geschreven. Zeggen dat het Marina-lied een grapje was waar ik om moest lachen. Dat juffrouw Nelly haar had verteld dat ik al jaren om ellende vroeg en dat alle andere leerkrachten dat be-aamden. Dat ze me liever verloren dan gewonnen hadden, liever mijn hielen dan mijn tenen zagen.

Niets daarvan.

'Je schrijft goed,' zei ze.

Mijn bloed klom omhoog en deed mijn wangen gloeien en mijn mond zakte open.

'Hoe oud ben je?'

Ik was zo uit het lood geslagen dat ik zelfs mijn leeftijd even moest gaan zoeken in mijn bovenkamer.

'Bijna elf,' antwoordde ik met een klein hart.

'Onwaarschijnlijk,' mompelde ze. 'Je hebt echt talent.'

Ze kwam iets dichterbij en ik rook de eau de cologne van mijn grootmoeder, maar met rozen erbij en andere geuren die ik niet kon benoemen.

'Lees je veel?'

Ik las veel, maar altijd hetzelfde. *Onder moeders vleugels* kon ik aframmelen en mijn Fabian-boeken kon ik zelfs woord voor woord achterstevoren vertellen, net als het Tiny-boek waar ik ondertussen veel te oud voor was geworden.

'Niet echt,' mompelde ik.

'Hm,' zei ze. 'Het is belangrijk dat mensen als jij veel lezen.'

Ze viste een boek uit haar boekentas. *Jan zonder Vrees*, las ik op de beduimelde omslag. Ze legde het boek in mijn handen.

'Een klassieker. Laat me weten wat je ervan vindt, Marina.' Ze schoof het klepje van haar schooltas in de metalen ring. Het gaf een klik. 'Tot maandag.'

Ik kon geen voet verzetten, dacht dat het ergste nog moest komen en staarde naar de tekening op de omslag.

Die jonge man met hoed moest Jan zonder Vrees zijn. Zijn benen staken in een opgelapte broek, zijn lijf in een gehavend hemd en hij had laarzen aan zijn voeten waarvan de neuzen omhoog krulden. Een schooier met lorren, maar met zijn neus in de wind en een rechte rug. Naast hem liep een kerel met een helm en een zwaard in zijn handen. Ze deden het goed samen, dat zag je zo.

'Tot maandag,' zei de nieuwe lerares nog een keer.

Geen woord over mijn razernij.

'Tot maandag,' stotterde ik en ik fladderde met het boek naar mijn lessenaar om mijn boekentas te pakken.

Dorien wachtte me een eind van de schoolpoort op. Voor één van haar ogen zat een dik verband.

Ik wees ernaar. 'Daarom was je er niet!'

Ze schudde misnoegd haar hoofd. 'Daarom was je er niet? Jij was er drie dagen niet. Drie!' Ze stak drie vingers in de lucht.

'Nee maar, jij kunt al tot drie tellen,' riep ik.

Ze gaf me een por.

'Kip!'

'Tok, tok,' kakelde Dorien. 'Waarom was je er niet?'

'Buikpijn,' antwoordde ik. 'En jij? Vertel op.'

'Niets bijzonders. Er zat een stukje hout in mijn oog. Mijn moeder en mijn vader kregen het er niet uit. Vanochtend zat het helemaal dicht. De dokter heeft de splinter eruit gekregen door met een nylon draad langs mijn oogbol te schrapen.'

Ik voelde een rilling langs mijn rug gaan, zette mijn boekentas op de grond en stak mijn vingers in mijn oren.

'Ik wil het echt niet horen.'

Dorien haalde haar schouders op.

'Doe niet zo flauw, Marina. Het viel best mee.'

Ik geloofde er geen snars van.

Jaren geleden praatte Dorien sloom en zocht ze naar haar woorden maar nu klaterden ze uit haar mond.

'Moet je horen. Juffrouw Gaby had toezicht en Veronique zong op het schoolplein het Marina-lied. Ze kreeg een uitbrander en juffrouw Gaby heeft het Marina-lied verboden. Je had de smoel van Veronique moeten zien.'

'Verboden?' vroeg ik met overslaande stem.

Dorien knikte. 'Veronique kreeg ook een nota in haar agenda dat ze moest ophouden met je te tergen. De eerste keer in haar leven een nota. Ze heeft de ogen uit haar kop gejankt en juffrouw Gaby zei dat het laag was om mensen op uiterlijkheden te pakken zoals een lange neus en... grote tanden. Veronique sloeg alle kleuren van de regenboog uit. Wat denk je daarvan?' vroeg Dorien triomfantelijk.

Mijn onderlip zakte alweer omlaag.

'Nee...' mompelde ik.

'Ja!' riep Dorien en ze begon me overal tegelijk te knijpen en te stompen. Het verloren brood moest nog maar eens gekneed worden. Ze leek wel een piraat met dat lapje voor haar oog.

Het boek van Fabian in snippers, het uitstapje van de verloren broden (mijn opgefikte pony buiten beschouwing gelaten), de uitbundige piraat en de woorden en het boek van juffrouw Gaby... Zoveel goeds was iets te veel voor me en er groeide een krop in mijn keel.

Een uur later was ik in het jaar 1418 beland, in Antwerpen nog wel. Een sterke jongen laadde er tonnen uit een schip. De schipper wilde hem niet betalen, maar de ijzeren vuisten van Jan leerden hem mores. De schipper veranderde vlug van gedachten en gaf het beloofde geld. Ik had het meer voor Jo en haar zussen, maar de avonturen van Jan zonder Vrees namen me ook mee.

Die Jan was nergens bang voor, ook niet voor spoken op het kerkhof. Per ongeluk doodde hij zijn neefje Thijs. Hij moest de nor in, maar Jan ontsnapte onderweg naar het Steen en ontmoette Dokus, een lijfeigene. Samen ondernamen ze een tocht naar het land van Dendermonde waar Kludde, de waterduivel, de streek onveilig maakte. Ik streed samen met Dokus aan Jans zijde, uur na uur, en Jan versloeg alle gevaren en won een gevecht met de heer van Moerzeke.

Ik smokkelde een zaklamp mee naar boven en in mijn bed beleefde ik hoe Jan Alwina uit de klauwen van Kludde bevrijdde. Uiteindelijk kon hij het monster ontmaskeren en werd hij daarvoor rijkelijk beloond door de hertogin van Bourgondië. Eind goed, al goed.

Ik las tot de lamp alleen nog een flutlichtje was en het uiteindelijk begaf.

De reservebatterijen in het kistje op een plank in de kelder slonken zienderogen.

'Vreet jij misschien batterijen?' vroeg mijn grootvader.

'Ik lees,' antwoordde ik.

Hij krabde in zijn haar en grijnsde. 'Tja, er moet toch één slimmerik in de familie zijn.'

De volgende dag zat het kistje propvol nieuwe batterijen.

De bibliotheekkast in onze klas trok scheef van de boeken die juffrouw Gaby erin en erop gestapeld had.

Mijn grootvader wilde niets van de hemel horen, maar met die bibliotheekkast ging de hemelpoort voor mij open: *De onsterfelijke lotgevallen van Pieter Konijn*, *De tovenaar van Oz*, *Pietje Bell*, *De boodschap van de onzichtbare*, *Kaas*, *De Witte*, *Huckleberry Finn*, *Oliver Twist*, *Stijfkopje*, *Mieke*, *Pippi Langkous*, *Sjakie en de Chocoladefabriek*, *De Fantastische Meneer Vos...*

En ik snakte naar meer.

Elke zondag brachten mijn ouders nu, behalve een zakje muilentrekkers, ook batterijen, inkt of een schrift voor me mee.

'Als je daar blij mee bent,' zei mijn moeder.

Ze had me liever lipstick en nagellak gegeven of plastic oorbellen en armbanden, maar die meisjesspullen hoefde ik niet. Met al die glitter en felle kleuren leek mijn moeder al jaren een fou-te kerstboom en ik wilde mijn takken liever puur houden.

We moesten elke week een opstel schrijven, niet voor straf, maar gewoon omdat juffrouw Gaby van verhalen hield, ook die van ons.
Ik genoot van elk woord dat uit mijn pen vloeide en dat waren er heel erg veel. Mijn opstellen waren stapels vellen, schriftjes vol en voor het eerst was naar school gaan leuk.

Bles

De kleindochter van madame Agnes had een nieuwe fiets gekregen. De oude werd afgedankt. De buurman had net een fiets voor zijn kleindochter gekocht, dus gooide Metje een visje uit.

'Marinaatje zou in het gelukkigste van haar leven zijn met die fiets, madame Agnes.'

Ze ving een snoek met haar visje...

Toen mijn grootvader en ik bij haar aankwamen, joeg ze ons meteen naar de achtertuin en wees naar de fiets met lichtjes in haar ogen.

'Voor Marinaatje,' zei ze schor.

'Voor mij?'

Een eigen fiets! Ik draaide een paar pirouettes op een vrolijk wijsje in mijn hoofd. Metje klapte in de handen en mijn grootvader greep een denkbeeldige trompet beet en toeterde maar wat.

Ik wilde graag de fiets opspringen en een ererondje rijden, maar dat kon niet. De voorband was lek.

Metje haalde de schouders op. 'Een gekregen paard kijk je niet in de bek,' zei ze schaapachtig.

Mijn grootvader stroopte zijn mouwen op en vroeg Metje om een teil zeepsop. Ik moest het tasje halen dat aan het zadel van zijn brommer hing. Daarin zat een doosje met plakkers en solutie.

Hij dompelde de band in het zeepsop, spoorde het lek op en repareerde het gat terwijl ik een naam voor mijn robuuste fiets zocht en vond: Bles. Toen de band was opgelapt, spoot grootvader wat olie op de verroeste ketting.

Bles draaide als een molentje.

Mijn grootvader brommerde naar huis en ik peddelde overgelukkig in zijn kielzog terwijl Metje een snuifje nam en ons niezend uitzwaaide.

Een rozenbad, thee
en een verhaal

Het was de laatste week van september, kermismaandag en er was geen les.

Dorien moest naar de tandarts. Hij zou proberen om iets aan haar konijnentanden te doen.

Mijn grootmoeder was naar madame Lucienne en ik zat naast Pokkie op de jutezak te lezen.

De lucht was donker en dreigend. Het stormde en de regen viel met bakken uit de hemel. De bomen verloren takken en de bloemen werden platgeslagen, de rioolputjes konden de stort - vloed niet slikken. Maar ik merkte er allemaal niets van.

Ik zat in het verhaal van Bartje, een Hollands jongetje. Zijn ouders waren keuterboeren en na het overlijden van zijn vader moest hij werken om het gezin te onderhouden. Hij weigerde te bidden voor bruine bonen...

Bartje was uit.

De hemel was opgeklaard, de wind geluwd en de zon scheen waterig, geen zon om je aan te warmen, maar toch pakte ik Bles voor een ritje.

Ik wist dat juffrouw Gaby in de Populierenlaan woonde en

fietste erlangs. Niet dat ik haar een bezoek wilde brengen, maar ik was zo in de ban van haar dat ik nieuwsgierig was naar hoe ze woonde. De kans dat ik haar huis zou vinden was klein want ik kende haar huisnummer niet.

In de straat lagen grote plassen waarin populieren en flarden blauwe hemel zich spiegelden.

Eén huis in de straat leek helemaal juist. Bakken met klimop voor de ramen, groen en witte luiken... Mijn hart maakte een sprongetje toen ik merkte dat mijn lievelingsjuf naast een grote buxus in een aarden pot haar stoep stond te vegen. Ze had een schort aan en een sjaal om haar hoofd. Zelfs in werkkleren had ze stijl.

'Dag juffrouw,' riep ik, terwijl ik haar huis voorbijfietste.

Ze keek op en lachte.

'Hallo Marina!'

Achter mij naderde een auto en ik remde en zette heel even mijn rechtervoet op het trottoir. De auto passeerde in volle vaart en reed in één van de plassen.

Een koude golf sloeg over me heen en ik hapte verschrikt naar adem. IJskoude modder droop van mijn kleren en mijn huid werd nat door mijn trui heen.

Juffrouw Gaby kwam naar me toe gelopen. Ze keek de auto boos na.

'Wat een brutaliteit,' zei ze.

Ik probeerde de modder van mijn wangen te vegen.

'Het is niet erg,' mompelde ik.

'Zo kun je niet naar huis, Marina. Kom even binnen. Je kunt je hier wassen en we hangen je kleren te drogen.'

Ik volgde mijn juf langs een houten trap naar boven. De leuning voelde glad. Geen enkele braam of uitstekende splinter. Juffrouw Gaby duwde een deur open. Het was de eerste keer dat ik een badkamer als deze zag en ik stond aan de grond genageld.

Ze draaide de glimmende kranen van een hagelwit bad met krulpoten open en kneep er een roze fles in leeg.

Bij Dorien hadden ze ook een badkamer, maar als je op de wc zat, moest je uitkijken om je hoofd niet te stoten tegen de wastafel. Daarnaast stond een zitbadje waarvan ik me elke keer afvroeg of het weelderige achterwerk van Doriens moeder er wel in kon.

De badkamer van juffrouw Gaby was groter dan de woonkamer van mijn grootouders. Boven de wastafel hing een spiegel en een glazen schap waarop flesjes en potjes stonden. Het was er heerlijk warm.

Juffrouw Gaby legde een badjas, een handdoek en slofjes voor me klaar en ging achter de deur staan wachten tot ik mijn kleren uit had. Ze stak haar hand door de kier van de deur en bewoog haar vingers als de poten van een spin. Ik gaf mijn modderkleren aan de spin, maar hield mijn niet zo frisse onderbroek en onderhemd bij me.

De deur viel in het slot.

Aan de binnenkant van de badkamerdeur was een enorme spiegel. Bij mijn grootouders hing een rechthoekige spiegel aan een spijker naast de wasbak. Mijn grootvader scheerde er zijn kin voor, mijn grootmoeder trok er de haartjes boven haar lip uit, mijn moeder smeerde er mascara op haar wimpers en mijn vader bracht er zijn haar in model.

Je moest je in bochten kronkelen om een glimp van jezelf op te vangen en je kreeg altijd maar een klein, rechthoekig stukje van jezelf te zien.

In deze spiegel zag ik mezelf voor het eerst van kop tot teen, naakt nog wel, en ik schrok hevig. Mijn armen en benen waren dunne stengels. De botten van mijn heupen staken fel uit en ik was nog platter dan plat vanboven. Mijn borsten waren twee miserabele rozijnen op heuveltjes van niemendal. Onderaan mijn buik kroesden een paar zwarte haren.

Mijn spiegelbeeld maakte me niet vrolijk en ik liep naar het bad. Op het water dreven schuimwolken die naar rozen geurden.

Ik had nog nooit een bad genomen - het teiltje van toen ik een baby was, buiten beschouwing gelaten - en ik doopte er voorzichtig één van mijn grote tenen in.

Behoedzaam stapte ik in het water. Om mijn benen verdween het schuim eerst, maar het dook meteen weer op en ik hurkte neer. Ik ging zitten, strekte mijn benen en liet mijn bovenlichaam in het water glijden.

Het badwater tilde me op en ik voelde me vederlicht worden

en zachtjes dobberen. Ik liet me tot aan mijn kin zakken en sloot mijn ogen. Nu rook ik de rozen nog meer.

Mijn handen peddelden en maakten golfjes en ik liet een windje dat heerlijk bobbelde. Ik liet me weken tot mijn vingers en tenen rimpelden als die van een stokoud vrouwtje.

Ik wenste dat Veronique een vlieg was en in deze badkamer rond zoemde. Ze zou het jammer vinden dat we niet in de vroege middeleeuwen leefden zodat ze me niet kon laten onthoofden of vierendelen. Of mijn tong uitrukken en neus en oren afsnijden en me brandmerken met een gloeiend heet ijzer dat een bloederige en etterende roos op mijn achterwerk zou achterlaten, die verwees naar de heerlijke geur in het bad. De bloederige beelden tussen de hazenslaapjes in het rozenbad versterkten de zaligheid. Ik merkte dat ik domweg lag te glimlachen.

Marina in Wonderland. Die brutale chauffeur had een goede daad verricht en ik was hem eeuwig dankbaar.

Er werd zachtjes op de deur geklopt.

'Alles goed, Marina?'

'Ja, hoor, juffrouw Gaby.'

'Ik zou me dan maar afdrogen, Marina.'

'Goed, juffrouw Gaby.'

De handdoek, de badjas en de slofjes die juffrouw Gaby had klaargelegd, waren zacht als wolkjes.

Het schuim in de kuip was helemaal verdwenen. Het water was grijs en troebel. Er zweefde niet alleen modder in maar er dobberden ook rolletjes vuil in die ik tussen mijn tenen vandaan had gehaald en viezigheid die ik van mijn enkels, knieën en handen had gewreven. Al dat vuil plakte niet meer aan mij en ik had me nog nooit zo schoon gevoeld; mijn vingernagels nog nooit zo wit en glanzend gezien.

Toen het water wegstroomde, bleef er een vieze rand in de badkuip achter. Op een rek lag een spons en ijverig probeerde ik de rand weg te wrijven. Ik mocht er niet aan denken dat juffrouw Gaby mijn smerigheid zag.

'Ik maak het bad wel schoon, Marina,' riep ze vanachter de deur.

'Goed, juffrouw Gaby,' antwoordde ik, opgelucht dat de vieze sporen uitgewist waren.

Ik wandelde de woonkamer binnen.

Juffrouw Gaby had thee gezet.

Mijn grootouders dronken koffie en ik melk uit kopjes met een oor af of stukjes van de randen. Koekjes aten we zo uit het pakje.

Bij juffrouw Gaby lagen de koekjes op een zilveren schaaltje. Op de puntgave theepot en kopjes zat een gouden randje en waren paarse en gele viooltjes geschilderd. In de kamer stond of hing niets te veel en niets te weinig. Het was er allemaal even juist als juffrouw Gaby zelf.

Geen overladen kasten met boerinnen en gravinnen zoals bij Mona maar één beeld van een naakte danseres die sierlijk boog en met het hoofd zijdelings op de knie rustte.

We hadden één schilderij in huis, dat mijn grootmoeder met een tombola had gewonnen en dat naast de schoorsteenmantel hing: een zonsondergang met een kleurig boerengezelschap en een ezeltje dat een hooiwagen trok.

Hier hingen sobere pentekeningen van dwarrelende figuren waarvan ik niet kon zien of het mannen of vrouwen waren.

Ze liet me de tijd om alles in me op te nemen en wees dan naar een stoel waarop een kussen lag.

'Ga toch zitten, Marina.'

Mijn lerares schonk thee in onze kopjes en hengelde met een tangetje een klontje suiker uit de suikerpot dat met een kleine plons in haar kop viel.

Ik volgde elke beweging en bestudeerde mijn lerares alsof ze een geschiedenisles was. Haar manier van praten en bewegen probeerde ik in mijn hoofd te prenten alsof ik met haar wilde samensmelten.

Op het zachte kussen met het kopje thee in mijn hand besefte ik dat zij voor mij betekende wat Jo van de zusjes March ooit betekende en dat ze was wat ik wilde zijn.

Ik vroeg me af wat er naast de boeken en verhalen in haar hoofd leefde. Ik wou achter haar oogbollen kruipen om te weten hoe ze naar mij keek en wat ik betekende voor haar. Ze was de eerste leerkracht die mij niet doodzweeg of zich ergerde en deed alsof ik een nietig insect was.

Ze wees naar de suikerpot.

'Suiker?'

Ik knikte.

'Neem maar, Marina.'

Nog nooit had ik een suikertang vastgehad, maar tot mijn verwondering landde het suikerklontje, ondanks mijn trillende vingers, keurig in mijn kop.

'Ik ben blij dat je er bent,' zei juffrouw Gaby.

Haar woorden roken nog lekkerder dan het rozenbad.

'Morgen wil ik het in de klas over een verhalenwedstrijd hebben voor alle zesdejaars.' Ze hield me het schoteltje met koekjes voor.

Ik nam er eentje en hield mijn hand onder het koekje, net als juffrouw Gaby, want hier was Pokkie er niet om de vloer schoon te likken. Terwijl ik een zuinig hapje nam, ging juffrouw Gaby verder.

'De deelname is niet verplicht, alleen wie wil meedoen, doet mee. De wedstrijd loopt over alle scholen van Vlaanderen. Ik sta erop dat je meedoet, want je schrijft zeer goed,' voegde ze er met een glimlach aan toe.

Haar woorden deden me naar lucht happen waardoor er een paar kruimels in het verkeerde keelgat terechtkwamen. Ik begon heftig te hoesten en voelde mijn hoofd zwellen.

Mijn kopje werd haastig in mijn handen geduwd.

'Neem een slokje, Marina.'

Ik had nog nooit thee gedronken, pakte het kopje beet, nam een flinke slok, slikte de thee vermengd met kruimels door en kwam weer op adem.

Niet alleen het verslikken gaf me een benauwd gevoel. In mijn buik sloop een knagend gevoel net of ik aan boord van een brandende sloep stond, temidden van een kolkende en woeste zee. Juffrouw Gaby verwachtte veel van me, griezelig veel. Ze stond op.

'Je kleren hangen bij de verwarmingsketel. Ik ga eens kijken of ze al droog zijn.'

Ze zwaaide me uit.

De schemering kondigde zich op kousenvoeten aan. Ik rook een laatste zweem van de zomer, maar mijn neus tintelde vooral van het frisse dat de herfst wilde brengen en in mijn hoofd was het lente.

Quasimodo, bloed, zweet en tranen

Mijn grootvader had de elektriciteit op de kermis aangesloten en had niet op een meter kabel meer of minder gekeken. Dat hadden de kermismensen rijkelijk beloond met handenvol kaartjes en jetons.

Mijn grootvader had ze in een lege broodzak gestopt.

Het was de laatste dag van de kermis en de bolle broodzak lag daar nog steeds. Maar daar zou verandering in komen: het was mijn beurt om Dorien te verrassen.

We zaten bij haar thuis op de bank waarop gehaakte kussens van bonte wol lagen. Op de salontafel stond een asbak. Ik was het ondertussen gewend dat Dorien rookte. Ze stak een sigaret op en viste er één uit het pakje voor mij.

'Nee, dank je,' zei ik vlug. Eén keer mijn haar in de fik was genoeg en ik had ook geen zin om de hele middag op de pot te zitten.

'Ben je niet bang dat je ouders het ruiken als ze straks thuiskomen?'

Dorien haalde de schouders op.

'Ze roken ook en tegen dan is die rook al lang weg. Ik zet straks wel even het raam open.' Ze nam een trek van haar sigaret, blies een rookwolk in mijn richting en schudde het hoofd.

'Ik snap dat je wilt meedoen,' zuchtte ze. 'Maar de hele tijd schrijven... Je bent gek. Je krijgt er slechte ogen van en een bochel of op zijn minst een kromme rug.'

Ik sprong overeind, stak één van mijn schouders omhoog, hield de andere omlaag en hinkte rond de salontafel.

'Quasimodo zal de klokken luiden!' riep ik met krassende stem.

Dorien proestte het uit.

'Onnozele! Quasi... wat?'

'Quasimodo, de klokkenluider van Notre Dame. De bultenaar van Parijs.'

Ze keek me met een wazige blik aan.

'Ben je dan al naar Parijs geweest?'

Ik stak mijn tong uit.

'Ja, en ik heb het jou nooit verteld. Het was er heerlijk, mademoiselle...' Ik tikte met mijn wijsvinger tegen mijn voorhoofd en plofte weer op de bank neer. 'Natuurlijk niet, schaap.'

Het schaap pufte een nieuwe wolk de kamer in.

'Weer een of andere kwibus uit een boek, zeker?' zei ze.

Ik knikte.

'Als je niet scheel wordt van het schrijven, word je het vast van het lezen.'

Ik deed mijn ogen naar mijn neus kijken tot ik alles dubbel zag, deed alsof ik een sigaret tussen mijn vingers hield en spuwde onzichtbare wolken uit.

'Ja, en jij wordt een zwart geblakerde schoorsteen, scheel van de rook.'

Dorien gaf me een stomp.

'Au!'

'Leuk hoor, jouw vriendin zijn. Of je zit met je neus in een boek of je schrijft. En ik kan de boom in.' Ze zei het plagerig, maar er zat toch een venijnige ondertoon in. 'We hadden al tien keer naar de stad kunnen gaan, Marina.'

'Om in paardendrollen te lopen?'

Ze grijnsde. 'Nee, om naar de kermis te gaan. Het is vandaag al de laatste dag, verdomme.'

'Ik zal het goedmaken,' zei ik groothartig.

'O ja? Hoever sta je met dat verhaal?'

Ik kneep mijn ogen tot spleetjes en probeerde zo geheimzinnig mogelijk te kijken.

'Ver.'

Dorien ontpopte zich plotseling tot mijn manager. 'Het moet deze week de bus op!' zei ze streng. 'Het verhaal van stomme Veronique is al gepost.' Ze doofde haar sigaret in de asbak, duwde op een knop in het midden en de peuk tolde weg onder een metalen plaatje. 'Het kan me niet schelen dat je me hebt verwaarloosd, als je maar niet eindigt na dat rotmens,' snibde ze.

'Mijn verhaal is af!' zei ik.

Dorien was meteen manager af en gewoon weer mijn vrien - din.

'Ik had het kunnen weten. Anders zou je natuurlijk niet gekomen zijn,' zei ze wrang.

Er viel een pijnlijke stilte.

Dorien had gelijk. Alles en iedereen had moeten wijken voor het verhaal. Wekenlang, elke avond, elke woensdagmiddag, zaterdag en zondag was ik als een kluizenaar met mijn pen aan een hoek van de tafel gaan zitten. Ik had een middeleeuwse ridder eindeloos verliefd laten worden op een jonkvrouw en daarna had ik een verhaal geschreven dat zich afspeelde in de oertijd om vervolgens het leven van vier zussen tijdens de oorlog op papier te zetten.

Toen ik het ridderverhaal herlas, vond ik het eerste hoofdstuk veel te bloederig. Halverwege had ik de jonkvrouw laten sterven en op het einde liet ik de ridder zelfmoord plegen. Het was niet alleen een wreed, maar ook een melig verhaal geworden. In de oertijd strandde ik om de twee zinnen. Ik had geen benul van wat die aapmensen aten en of ze hun eten al kookten en hoe ze van die dierenhuiden kleren maakten en welke dieren er toen leefden. Een mammoet, ja, dat wist ik wel zeker, maar wat nog meer? Goed, het ging om een verzonnen verhaal, maar ik wilde dat het toch een beetje klopte.

Het verhaal van de vier zussen begon na tien bladzijden verdacht veel op dat van de zusjes March te lijken en eindigde dus ook in proppen om het vrijdagse vuur aan te maken.

Ik wilde het beste van mezelf geven en een mooi ei leggen, maar ik was een kip met een achterwerk dat dicht zat.

De juiste woorden wilden niet komen en als ze kwamen, vormden ze verkeerde zinnen in een verkeerd verhaal.

Ik had een inktpot voor Piet Snot leeg geschreven en tientallen vellen papier verkwist.

Ik was een schrijfster van niemendal die op een avond in de woonkamer rondlummelde, humeurig zuchtte, haar vingernagels afbeet tot nietige maantjes en als een heuse zielenpoot op de jutezak bij Pokkie ging zitten met haar rok over haar knieën getrokken. Ik krabde in Pokkies vacht en nam haar kop tussen mijn handen om haar oren te laten wapperen. Dat had ze graag. Toch iemand blij, dacht ik.

Mijn grootouders waren dat ook. Mijn grootvader trok een kroonkurkje van een pilsje en mijn grootmoeder zoog aan een sinaasappel met een suikerklontje.

Bij Pokkie op de zak vroeg ik me af waarom ik het in de middeleeuwen, de oertijd en de oorlog ging zoeken en mijn gedachten vlogen naar mijn vroegste herinneringen: het babymeisje en het veren spreitje. Pokkie, toen nog een klein hondje met puntige oortjes... De eerste flarden van mijn kindertijd.

Ik stond op om opnieuw aan de hoek van de tafel te gaan zitten, schroefde het deksel van de inktpot en sloeg een nieuw schrift open.

'Weer schrijven?' vroeg mijn grootmoeder.

Ik knikte zonder opkijken want ik probeerde een hardnekkige pluis aan de punt van mijn pen met een reepje vloeipapier te verwijderen.

'Je vingers zullen nog met die pen vergroeien,' mompelde mijn grootvader.

'Beter met een pen dan met een bierfles,' grinnikte mijn grootmoeder.

'Dat weet ik nog niet zo zeker,' antwoordde mijn grootvader. Hij nam een flinke slok bier en zuchtte van genot.

Toen liet ik mijn pen gulzig in de inktpot slurpen, als een speelgoedtreintje over de lijntjes slingeren en slierten natte letters achterlaten die vloeiden zonder ophouden, woorden vormden en bladen vulden die niet in proppen eindigden maar in de rechterbovenhoek werden genummerd.

Er zwaaide een hand voor mijn neus.

'Hallo! Mag ik weten waarom jij zo'n pret hebt?'

Wat onthutst landde ik weer op de bank bij Dorien.

Ik grabbelde in zeven haasten de kaartjes uit mijn jas en gooide ze naast de asbak. 'Daarom!' loog ik.

Dorien pakte de broodzak van de tafel en keek erin.

'Nee maar!' gilde ze verbluft. Als een wildeman schudde ze het zakje leeg en scharrelde in de kaartjeshoop.

'De botsauto's, de rups, het bokskot en... en... Oh, wat heerlijk!' gilde ze en ze stak twee kaartjes in de lucht. 'De vrouw met de dikke tieten!' Ze gooide de kaartjes weer in de zak, sprong overeind en deed alsof ze twee enorme pompoenen vasthield. 'Het schijnt dat het zulke joekels zijn.'

'Ik weet niet of we erin komen,' zei ik. 'Je moet veertien zijn. Kijk maar, het staat op het kaartje.'

Dorien liet haar ogen even over de kaartjes dwalen, stond op, stak haar borsten vooruit en duwde een lok haar achter een oor.

'Dat zijn we toch, Marina.'

Dorien had iets om mensen te laten geloven dat ze veertien was, maar ik niet.

'Even naar de wc,' zei ze.

Toen ze terugkwam, had ze lipstick op haar mond en boven haar ogen zat oogschaduw.

'Zo zien we er zeker veertien uit.'

'Jij wel, ja,' antwoordde ik verbijsterd.

Ze stak een lipstick als een trofee in de lucht.

'Stil zitten!' beval ze.

Ik verroerde me niet meer en Dorien plofte naast me neer en smeerde een laag lipstick op mijn lippen en twee blauwe vegen boven mijn ogen.

Ze hield me een spiegel voor.

'Zijn we veertien of zijn we veertien?' vroeg ze met een brede glimlach.

'We zijn veertien,' antwoordde ik, al voelde ik me elf.

De vrouw met de dikste borsten en een verdraaid staartje

Omdat Dorien dat zo graag wilde, liepen we meteen naar de tent met de vrouw met de dikste borsten van de hele wereld. Ze had weinig succes want we hoefden niet aan te schuiven.

'En jij bent veertien?' vroeg de man in het loket. In zijn wangen en voorhoofd zaten diepe putten.

'Wat denk je?' vroeg Dorien terwijl ze gepikeerd met haar ogen rolde, een brandende sigarettenpeuk op de grond gooide en die met de neus van haar schoen doofde.

De man met het grove gezicht keek naar mij.

'Jij ook?'

Mijn wangen werden warm en ik tuurde naar mijn handen alsof ik voor het eerst ontdekte dat er vijf vingers aan zaten.

'Het is haar niet aan te zien, maar dat mager scharminkel is al vijftien,' loog Dorien.

'Ga maar,' zei de man en hij wees naar een rood fluwelen gordijn.

Dorien stoof naar binnen en ik beende haar haastig achterna.

De vrouw lag voor een paravent van stroken glitterstof op een bank met gouden kussens. Ze had een gifgroene, satijnen jurk aan waarover twee enorme borsten hingen die de grootte had-

den van een aardappelzak. De tepels leken spenen van een veel
te grote zuigfles en de bruine vlekken eromheen hadden de
grootte van een eetbord. Op de reusachtige borsten waren glit-
ters gestrooid.

De pompoenen die Dorien had vast gehouden waren niets
vergeleken met wat we te zien kregen.

Onder de dikke laag schmink, de felgroene pruik en de enorme valse wimpers ontdekte ik een indroevige blik die mijn keel
potdicht schroefde. Verlegen keek ik de andere kant op.

Dorien kneep in mijn arm en giechelde aan een stuk.

'Ferm, hè? Wat een joekels! Man, man, man...'

Ik hapte opgelucht naar adem toen we de tent verlieten.

Er volgden nog een Siamese tweeling, een reus, een vrouw met
een baard van een meter lang, dwergen die in een reiskoffer
pasten... Ik vond er niets jolig aan.

Wat zou Dorien ervan vinden om op een podium almaar haar
konijnentanden te ontbloten of in een wortel te zetten tot ver-
maak van een publiek, schoot het door me heen. Of ik? Hoe
zou ik me voelen als ik mijn miserabele krenten moest etale-
ren?

Ik klemde mijn kaken op elkaar en zweeg. Ik wilde het kermis-
bezoek niet verpesten. En ik had Dorien al weken verwaarloosd. We liepen naar de rups: een molen met zitjes, overkapt
met een groot zeil. Dorien stoof kirrend naar één of andere
puistenkop met voetbaltrui waar een acht op gedrukt stond en
een jongen met een rolkraag. De puistenkop bleek haar buur-

jongen te zijn en ze wrong zich naast hem in een zitje van de rups.

Het karretje was te krap voor drie en dus ging ik maar op het zitje achter hen zitten. De vriend van de buurjongen ging zonder vragen naast mij zitten en keek me met koeienogen aan. 'Ik ben Ronny,' zei hij.

Toen de kap over de rups sloeg en we in het donker zaten, zag ik de schaduw van de voetbalfanaat dichter naar Dorien toe schuiven. Was die kerel nu helemaal betoeterd? En Dorien liet dat gewoon gebeuren?

Ze zouden elkaar toch niet gaan kussen? Dat was levensgevaarlijk met die konijnentanden en dat zou nog wel een poos zo blijven want goed nieuws had het tandartsbezoek niet opgeleverd. 'Als ik wat ouder ben, gaan ze mijn tanden trekken en valse steken,' had Dorien verteld.

De rups draaide almaar sneller en daverde almaar harder en ik klemde mij vast tot de knoken van mijn vingers wit zagen.

Toen voelde ik Ronny's arm tegen de mijne.

'Laat dat,' snauwde ik boven het kabaal van een loeiende sirene die afging omdat de rups op topsnelheid tolde. En opeens moest ik aan een zomer van lang geleden denken en ik barstte in lachen uit. Toen de rups stilviel, vluchtte Ronny het karretje uit, terwijl ik snikkend van het lachen bleef herhalen dat ik ooit met mijn hond een tong had gedraaid.

Dorien en ik hadden dolle pret op de botsauto's. We sjeesden gierend achter het wagentje waarin de jongens zaten en knalden erop los. We bleven rit na rit zitten en maakten alle jetons voor de botsauto's op, en dat waren er heel wat.

Bij een oliebollenkraam waar ze ook siroopappels en suikerspinnen verkochten, bliezen we uit. Ronny kocht een suikerspin en trok er af en toe een pluk voor mij af. Dorien stak een sigaret op en leunde tegen de puistenkop aan.

Ronny had me mijn tongzoen met Pokkie al lang vergeven en had weer zijn koeienogen opgezet.

Toen fietste juffrouw Nelly voorbij. Eerst dachten we dat ze ons niet in de gaten had, maar toen remde ze en sprong van haar zadel. Ik wilde wegkruipen, als een mol in een hoop verdwijnen, maar er was geen ontkomen aan.

Met nijdige pasjes en een verbeten gezicht duwde ze haar fiets in onze richting. Ze kwam pal voor ons staan. Haar reptielenogen pinden zich vast op mij en Dorien en knipperden even grimmig naar Ronny en de voetbalfanaat.

Juffrouw Nelly had al jaren het talent om mij met de grond gelijk te maken. Ik sloeg mijn ogen neer.

'Jullie zijn verderfelijk! Reken maar dat hier een staartje aan komt, dames!' beet ze vol verachting.

Ze stapte op haar fiets en peddelde hoofdschuddend weg.

Dat staartje waar ze het over had, deed de kermispret wegebben. Ook Dorien stond er versteend bij en zelfs onze twee kermisvrienden hadden weinig te vertellen.

Ronny vond als eerste zijn tong terug en mummelde: 'Stom wijf!'

Toen riep Doriens vlam: 'Wat een tang!'

Ik dankte de jongens voor het medeleven en gaf hun de zak met de rest van de kaartjes.

Terwijl ik met mijn zakdoek en spuug de schmink van mijn gezicht veegde, liepen Dorien en ik naar huis. We konden al raden naar dat verdraaide staartje: stomme juffrouw Nelly zou natuurlijk de directrice op de hoogte brengen. We hadden één zekerheid in ons leven: het zou er stuiven de volgende dag.

Voor eeuwig en altijd
verloren broden

Om de kwelling nog wat op te drijven, blikte de directrice slopend traag, zonder een woord te zeggen, van Dorien naar mij en terug. We hielden ons hoofd een beetje schuin en deden ons best om nederig te kijken.

Toen begon de litanie, waarvan de meeste stukken me bekend in de oren klonken. Het was zo helder als pompwater: ik, Marina Vuilpot, was van laag allooi. Ik was dat altijd al geweest, maar nu overtrof ik mezelf: elf jaar, nog een snotneus, en ik liep met jongens, rookte en beschilderde mijn gezicht als een hoer. 'Ik zeg dit niet graag,' zei ze, maar ze zei het toch, 'het zit in de familie!'

Ik rookte niet, behalve die ene keer dat ik in de bioscoop mijn pony in de fik had gestoken. Ik had Ronny afgeblaft toen hij in de rups tegen mij aanschoof. Een jongensgek kon je mij echt niet noemen en die make-up had Dorien op mijn gezicht gesmeerd en geen haar op mijn hoofd die eraan dacht het zelf te doen.

Mijn grootmoeder rookte niet, liep niet met jongens en gebruikte geen make-up en dat kon je van Metje ook niet zeggen en evenmin van mijn grootvader.

Mijn moeder schminkte zich en rookte, maar ze liep voor zover ik wist alleen met mijn vader die ook geen make-up gebruikte (behalve een gekleurd zalfje om zijn puisten weg te moffelen).

Het was niet het moment om de heldin uit te hangen en de ziedende directrice tegen te spreken. Dus zweeg ik, al borrelde mijn bloed boos door mijn aders.

Toen moest Dorien gekelderd worden.

Dorien Appelmoeskop was nog dommer dan het gat van een koe, kon het stro van het hooi niet onderscheiden en liet zich in al haar dwaasheid door mij in het verderf meesleuren. Onze vriendschap was haar ondergang.

De directrice bleef maar preken en viel in herhaling: we waren en zouden voor eeuwig en altijd verloren broden zijn. Er klonk een zweem van tevredenheid in haar stem. Ze was duidelijk opgelucht dat wij de verloren broden waren en niemand anders.

Tot onze grote verbazing werden we niet van school gestuurd want (wat moet dat een tegenslag zijn geweest voor haar) onze wandaad was buiten de schooluren en -muren gepleegd.

Dorien en ik probeerden te kijken of we het jammer vonden. De directrice zei met klem dat ze het misdrijf niet zomaar zou laten voorbijgaan en kondigde aan dat ze juffrouw Gaby de opdracht had gegeven om ons een straf te geven die ons geen goed zou doen.

We knipperden met onze ogen en mummelden dat het ons

heel erg speet.

Het was slikken voor Dorien toen juffrouw Gaby de straf uit
de doeken deed, maar ik kon wel juichen. We moesten vijf
boeken lezen en daarna opschrijven wat we ervan vonden.
Ik las ze met veel plezier en schreef met evenveel vreugde twee
keer wat ik ervan vond: één keer voor mezelf en één keer voor
Dorien. Omdat Dorien mijn beste vriendin was, was het niet
moeilijk om me in te leven en te verzinnen wat zij van de boeken zou vinden.
Dorien pende de vellen die ik voor haar schreef over en laste
hier en daar een krakkemikkige zin en een paar flinke fouten
in, om het echt te laten lijken.

Juffrouw Gaby klikte haar boekentas open en stak een bruine
envelop in de lucht.
'Ik heb groot nieuws in verband met de verhalenwedstrijd.'
Als gehypnotiseerd keek ik naar de envelop die in een gracieu-
ze boog weer neerdaalde en waaruit de sierlijke handen van
mijn lerares een brief visten.
Een muur van warmte trok omhoog. Mijn wangen gloeiden.
Eén gedachte vulde mijn hoofd en bleef er stormachtig razen.
Als ik een goede beurt maakte in de verhalenwedstrijd zou ik
met een theelepeltje de hele Noordzee leegscheppen.
Maar juffrouw Gaby keek niet naar mij. Ze keek naar Veroni-
que.

Dorien knipperde met haar ogen, sloeg haar handen voor haar mond en schudde met haar hoofd. 'Nee,' fluisterde ze.

'Veronique, je hebt het zeer goed gedaan. Je verhaal eindigde in de top vijftig van de wedstrijd. Proficiat.'

Veronique rechtte haar rug en groeide in haar stoel. Op haar gezicht verscheen een blos van trots. Haar vriendinnen begonnen te applaudisseren en juffrouw Gaby viel in.

De handen van Dorien bleven op haar lessenaar liggen en ze keek star voor zich uit.

De overwinning van Veronique deed me elke zin voor redelijkheid verliezen. Ik lachte. Lachte alsof ik het haar van harte gunde. Maar binnenin barstte ik in tranen uit, slingerde het theelepeltje weg en liet me snikkend in het zand vallen. Het beste van mezelf was niet goed genoeg geweest.

Het applaus voor Veronique was stilgevallen.

Toen keek juffrouw Gaby naar mij, de ogen van anderen volgden en ik voelde ze op me branden. Het stormachtige geweld dat daarnet nog in mij woedde, luwde en ik zonk weg in een vreemde stilte.

Metje zei dat de tijd zo vlug ging dat ze soms in haar bed ontwaakte, er wilde uitspringen om op straat te gaan hinkelen terwijl haar oude lichaam haar vierkant uitlachte en moeizaam overeind kwam.

Ik geloofde haar, maar op veertien maart van het jaar 1974 om half negen stokte die voorbijrazende tijd en stond de aarde een paar seconden stil.

'Marina, proficiat, je bent de laureaat van de verhalenwedstrijd. Een ongelooflijke prestatie.'

De woorden landden als een frisse plensbui op mijn hoofd en het gespetter klonk als een vrolijk deuntje van een draaiorgel.

De ogen van juffrouw Gaby glansden, haar handpalmen bewogen naar elkaar, klapten weer en staken mijn klasgenoten aan.

Veronique trok zenuwachtig met haar mond, keek onwennig om zich heen, twijfelde, koos voor de meerderheid en sloeg ook haar handen op elkaar.

Dorien was overeind gesprongen en klapte zo hard dat ik dacht dat haar vingerkootjes zouden breken. Mijn overwinning was die van haar. Ze lachte haar konijnentanden bloot zonder een hand voor haar mond te houden en er stroomden tranen over haar wangen.

Ik bleef naar mijn uitzinnige vriendin staren, terwijl het besef langzaam tot mij doordrong: mij was het allermooiste overkomen. Er groeide een vrolijkheid in mij die ik nooit eerder had gevoeld. Pijn en vernederingen werden snoeppapiertjes die door de wind werden weggeblazen.

Juffrouw Gaby vertelde trots dat de minister van Nationale Opvoeding en Cultuur de school zou bezoeken om mij een penning te overhandigen.

Het grote nieuws had Dorien dronken van glorie gemaakt. Tijdens de speeltijd hing ze aan mijn arm en lachte honend naar Veronique en haar vriendinnen die verslagen in een lusteloos kringetje stonden te praten.

De directrice liep met een map onder haar arm over het schoolplein recht naar mij toe.

Nee, nee, dacht ik. Mijn gedachten konden haar niet weg jagen en ze kwam voor me staan.

'Marina, gefeliciteerd.'

Ze keek zo aardig. Net of ik een lekker krentenbolletje was in plaats van een verloren brood. Ze kondigde aan dat de refter met een laag verf zou worden opgefrist tegen dat de minister kwam.

Dorien was van blijdschap nog steeds tureluurs in haar hoofd.

'Een minister op school dankzij een verloren brood... Ferm, hè?' flapte ze eruit.

De directrice hapte naar adem. Ik hield de mijne in. Er vloog een schreeuwende meeuw over het schoolplein. De directrice richtte haar hoofd naar de hemel en deed alsof Doriens overmoed er niet was.

'Meeuwen zijn indrukwekkende vogels,' mummelde ze en ze liep door.

Juffrouw Nelly marcheerde als een soldaat op me af.

Ook dat nog, dacht ik kleintjes.

Moeizaam verscheen om haar mond iets dat op een lach leek.

'Wat is er gebeurd?' vroeg ze.

Ik hield me van den domme.

'Met de directrice?' vroeg ik onnozel.

'Nee, nee,' antwoordde ze. 'Dat verhaal. Je hebt toch gewonnen? Wie had dat gedacht?' Ze sabelde me nog maar eens neer door me ongelovig aan te kijken.

'Juffrouw Gaby is een ongelooflijke lerares, juffrouw Nelly.'

Het was niet mijn bedoeling, maar dit antwoord, zacht als marsepein, prikte als de punt van een zwaard.

De lerares schraapte haar keel en marcheerde verder.

Dorien kletste op haar billen. 'Die zit!' giechelde ze. 'Oh, wat heerlijk. Jij hebt feeks Nelly haar vet gegeven en ik de directrice. Nu kunnen ze lekker gaarstoven.'

Ze sloeg haar handen tegen elkaar alsof ze ging bidden en richtte haar ogen naar de hemel. 'Ik denk dat God toch bestaat,' lachte ze.

Laat mijn grootvader dat niet horen, dacht ik.

Na school schreef ik *Bedankt voor alles!* op een briefje, plukte een bosje krokusjes in de voortuin van een huis dat al maanden leeg stond en fietste naar de Populierstraat.

Toen ik het boeketje voorjaarsbloemen voorzichtig op de arduinen dorpel legde, zwaaide de deur open. Ik grabbelde de bloemen haastig van de grond en duwde ze in haar handen. Ze las wat op het kaartje stond en glimlachte.

'Dank je wel, Marina.' Ze liet haar ogen even op de bloemen rusten en keek weer op. 'Je hebt een prachtig verhaal geschreven. Je hebt de prijs dubbel en dik verdiend.'

Ik tuurde onwennig naar de punten van mijn schoenen.

'Oh ja, ik heb een boek gelezen dat je vast mooi vindt,' zei ze. 'Ik heb het klaargelegd. Trek in een kopje thee?'